Crypt

Une introduction à la crypto en 2021 et aux 10 Bitcoin Alternatives

(Ethereum, Litecoin, Cardano, Polkadot, Bitcoin Cash, Stellar, Tether, Monero, Dogecoin & Ripple)

Introduction

La cryptocouronne, ou monnaie cryptée, est une monnaie électronique créée à l'aide d'une technologie contrôlant sa création et protégeant les transactions, tout en cachant l'identité de ses utilisateurs.

Crypto est l'abréviation de "cryptographie", et la cryptographie est une technologie informatique utilisée pour la sécurité, la dissimulation d'informations, d'identités et autres. La monnaie signifie "l'argent qui est actuellement utilisé".

Les cryptocurrences sont une monnaie numérique conçue pour être plus rapide, moins chère et plus fiable que l'argent émis par notre gouvernement. Au lieu de faire confiance à un gouvernement pour créer votre argent et aux banques pour le stocker, l'envoyer et le recevoir, les utilisateurs effectuent leurs transactions directement entre eux et stockent leur argent eux-mêmes. Comme les gens peuvent envoyer de l'argent directement sans intermédiaire, les transactions sont généralement très abordables et rapides.

Il s'agit d'une brève introduction descriptive et concise aux cryptocurrences.

Table des matières

Profitez de tous nos livres gratuitement...

Des biographies intéressantes, des introductions engageantes, et plus encore.

Rejoignez le club exclusif des examinateurs de la Bibliothèque Unie !

Un nouveau livre vous sera livré dans votre boîte de réception tous les vendredis.

Rejoignez-nous dès aujourd'hui, rendez-vous sur : https://campsite.bio/unitedlibrary

Cryptocourant

La **cryptocarte**, également connue sous le nom de **crypto-monnaie, est le** nom donné aux moyens de paiement numériques basés sur des outils cryptographiques tels que les chaînes de blocage et les signatures numériques. En tant que système de paiement, ils sont censés être indépendants, distribués et sécurisés. Ce ne sont pas des devises au sens propre du terme. En 2009, la première cryptocarte, le bitcoin, a été cotée en bourse. En 2021, plus de 8 400 cryptocurrences étaient utilisées (voir aussi Liste des cryptocurrences). Environ 1 000 personnes ont atteint un chiffre d'affaires quotidien de plus de 10 000 dollars. En raison de la part de marché relativement importante de Bitcoin, toutes les autres cryptocurrences sont également appelées "altcoins" (où *alt- signifie* "alternative à Bitcoin"). Les cryptocurrences ne sont créées que de manière non gouvernementale ; un Petro émis par le gouvernement vénézuélien et censé être lancé en 2018 n'avait aucune transaction connue, même des mois après son lancement.

Vue d'ensemble

Les cryptocurrences permettent d'effectuer des transactions de paiement numériques sans l'intervention d'autorités centrales telles que les banques. Cela se fait à l'aide d'un stockage décentralisé des données et de protocoles de transmission cryptés. La propriété du crédit est représentée par la possession d'une clé cryptologique. Le crédit, qui est également signé de manière cryptographique, est mis en correspondance avec un grand livre commun sous la forme d'une forme de stockage séparée, la chaîne de blocage. En règle générale, un nombre prédéterminé d'unités monétaires est généré collectivement par l'ensemble du système, le taux de production étant prédéterminé et publié ou limité par la méthode de génération cryptographique.

Ainsi, une différence essentielle entre la plupart des cryptocurrences et l'argent de tous les jours est qu'une seule partie n'est pas en mesure d'accélérer, d'interférer ou d'abuser de manière significative de la production d'unités monétaires. Les cryptocurrences n'ont pas besoin de banques centrales et ne sont donc soumises à aucune autorité ou autre organisation.

En raison de leur structure décentralisée, les cryptocurrences, contrairement à la monnaie de banque centrale, n'ont généralement pas un seul point de défaillance qui pourrait mettre en danger ou même manipuler la monnaie. Toutefois, il faut relativiser cette situation en tenant compte du fait que certaines cryptocurrences sont en effet produites de manière centralisée par des entreprises privées à but lucratif, gérées par leur propriétaire. Ripple Labs, par exemple, détient 80 % des nouvelles émissions de la cryptocouronne Ripple et les distribue selon ses propres règles.

Les cryptocurrences, comme la monnaie prédominante des banques centrales d'aujourd'hui, sont des monnaies fiduciaires. Cela signifie qu'ils sont créés à partir de rien, en quelque sorte, et n'ont pas de valeur intrinsèque particulière autre que leur valeur d'usage. Cela ne se fait que par l'acceptation entre partenaires commerciaux (payeurs, bénéficiaires), qui résulte des possibilités d'utilisation et des avantages qui en découlent.

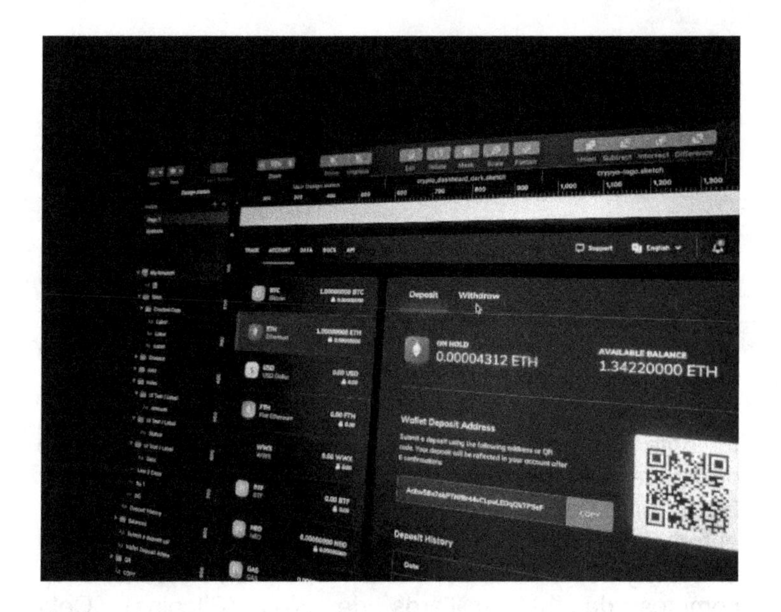

Comment cela fonctionne-t-il ?

Une monnaie sans valeur intrinsèque ne peut fonctionner que s'il existe un degré de confiance suffisant entre les participants. Avec la monnaie fiduciaire conventionnelle, il faut faire confiance à la banque centrale, ou la banque centrale ou l'État respectif impose l'utilisation de la monnaie indépendamment de la confiance ou de la méfiance de la population par la coercition, le monopole de la force et le pouvoir de l'État. Avec les monnaies cryptographiques, les nouvelles émissions et transactions sont validées par une majorité de participants qui se méfient et se contrôlent fondamentalement les uns les autres.

Comme l'information binaire peut être reproduite presque à volonté, il faut s'assurer - comme pour tout autre système de paiement sans numéraire - que la quantité en circulation n'augmente pas de manière non réglementée. Ainsi, une opération n'est valable que si la somme des entrées (comptes dont un montant est déduit) est égale à la somme des sorties (comptes auxquels un montant est ajouté). La seule exception concerne les nouvelles questions, qui, là encore, doivent suivre des règles prédéfinies et compréhensibles par tous afin d'obtenir la confiance nécessaire.

Pour les opérations de paiement sans numéraire ordinaires, le participant doit faire confiance à une entité opérationnelle (banque, société de carte de crédit ou autre) pour contrôler et faire respecter les règles. Avec les cryptocurrences, cette tâche est confiée à la communauté de tous les participants. Les corrections du système ne sont possibles que si la majorité des participants les acceptent par le biais d'une demande. Par exemple, dans l'affaire Bitcoin, le 15 août 2010, une transaction non conforme aux règles a été automatiquement acceptée par une majorité en raison d'une erreur logicielle. Cette transaction a permis de créditer deux comptes de 184 milliards de BTC (Bitcoins). Cela correspondait à une multiplication brutale de la masse monétaire et donc à une inflation drastique des soldes créditeurs existants. Cette erreur pourrait être corrigée en faisant circuler un nouveau logiciel corrigé qui rejetterait cette transaction comme étant non conforme aux règles. Cependant, comme personne ne peut corriger la base de données distribuée de toutes les transactions, l'erreur n'a été corrigée que lorsque la majorité des participants ont utilisé le nouveau logiciel suffisamment longtemps pour construire une nouvelle chaîne de blocs plus longue et donc plus prioritaire avec les confirmations de transactions.

À l'exception des cryptocurrences privées mentionnées ci-dessus, où une entreprise s'octroie un rôle particulier, les cryptocurrences gérées par la communauté travaillent au niveau de la base. Ce faisant, on se heurte toutefois au problème fondamental suivant. Les démocraties au sens traditionnel du terme sont fondées sur la répartition égale du pouvoir de vote au sein d'un groupe défini de personnes. Sur l'internet, les personnes ne sont pas clairement identifiables. L'identification n'est pas non plus souhaitable pour des raisons de discrétion. Les cryptocurrences doivent donc répartir les droits de vote d'une manière différente. Deux principes sont appliqués de manière prédominante : Preuve de travail et preuve d'enjeu. Dans Preuve de travail, le participant gagne en influence sur le système global en résolvant des problèmes de calcul et en prouvant ainsi la puissance de calcul dépensée. En résolvant le plus grand nombre de tâches possible, le participant gagne non seulement plus d'influence sur le système, mais il augmente également ses chances de profiter de nouvelles émissions et de frais de transaction. Cette incitation à fournir une puissance de calcul simultanément garantit qu'un nombre suffisant de participants dépensent toujours assez de puissance de calcul pour faire fonctionner le système. Les tâches sont donc conçues de manière à ce que, dans leur ensemble, ils s'occupent également de la comptabilité du système.

En prouvant ses actions, la personne qui détient déjà des parts importantes dans le crédit reçoit plus d'influence et d'avantages. Non seulement le crédit est évalué, mais aussi son âge dans une certaine mesure. Peercoin en est un exemple. Les cryptocurrences communautaires sont donc basées sur une compréhension particulière de la démocratie, qui diffère grandement de l'idée courante.

L'application d'un maximum de puissance de calcul afin d'avoir une plus grande chance de profiter des nouveaux enjeux est également appelée *"exploitation minière".* Comme les cryptocurrences sont échangées en biens réels et aussi contre des devises conventionnelles, il y a une réelle incitation économique à résoudre le plus efficacement possible les tâches informatiques fixées pour l'exploitation minière. Cela a conduit à l'utilisation d'un matériel de plus en plus spécialisé. Au début, on utilisait des processeurs normaux comme ceux utilisés dans les PC, bientôt suivis par des implémentations qui utilisaient des processeurs graphiques. Aujourd'hui, des appareils basés sur des FPGA et des ASIC conçus spécifiquement à cette fin sont commercialisés. Cela a entraîné une augmentation massive de la puissance de calcul. Par exemple, pour Bitcoin, la puissance de calcul dépensée a été multipliée par 660 entre janvier 2013 et janvier 2014. Pour l'utilisateur individuel d'un PC ordinaire, il est donc devenu presque impossible de participer à de nouvelles émissions ou de payer des frais de transaction avec des cryptocurrences attrayantes lorsqu'il y a une concurrence de la puissance de calcul.

Afin de rendre justice à cet effet, au nombre croissant de participants et à la loi de Moore, les cryptocurrences ont des niveaux de difficulté ajustables pour les tâches de calcul. Ainsi, seules les tâches résolues qui correspondent à un niveau de difficulté prédéfini et régulièrement ajusté sont acceptées par les participants. De cette façon, les taux d'émission peuvent être maintenus constants et l'effort requis pour une éventuelle manipulation peut être augmenté. Les principes de preuve de travail et de détention d'actions peuvent également être combinés. Par exemple, les détenteurs de gros soldes, de préférence anciens, peuvent soumettre des solutions à Peercoin avec une difficulté réduite. Les créateurs de cette cryptoconnaissance considèrent que les chances d'obtenir de nouvelles émissions ou de payer des frais de transaction sont plus élevées, ce qui constitue une sorte d'intérêt sur ces crédits.

Réalisation

Il existe des dizaines de spécifications pour la réalisation des cryptocurrences. La plupart d'entre eux travaillent sur des principes similaires à ceux de Bitcoin et ont une structure commune, où généralement seul le dessin varie dans le détail. Une approche différente est adoptée dans le brevet désigné WO2020060606 *Système de cryptocommunication utilisant des données sur l'activité corporelle.*

Mise en réseau P2P signée des participants

Tous les participants communiquent entre eux par le biais d'un réseau peer-to-peer. Chaque message qu'un participant envoie à ce réseau devient disponible pour tous les autres. Toutefois, il n'est pas envoyé en tant que diffusion mais, comme c'est le cas pour les réseaux P2P, il est transmis progressivement. Un message envoyé à ce réseau équivaut donc à une publication pour tous les participants.

Tout d'abord, chaque nouveau participant génère une paire de clés d'un système cryptographique asymétrique. La clé publique est publiée via le réseau P2P et éventuellement ailleurs. La clé privée, qui est gardée secrète, permet désormais au participant de signer de manière cryptographique les ordres de transactions. Chaque utilisateur peut ainsi ouvrir un compte par lui-même. En tant que compte nouvellement créé, le compte a un solde créditeur de zéro. La clé publiée est pratiquement le numéro de compte et est connue comme l'*adresse du compte.* La clé privée garantit le pouvoir de disposition sur le compte. Comme chaque participant peut générer un nombre quelconque de ces paires de clés, celles-ci sont stockées dans un fichier appelé "portefeuille".

Si un autre participant veut maintenant transférer un montant sur le compte qui vient d'être ouvert, il crée un ordre de transfert avec le montant et avec la clé publique du compte cible et signe cet ordre avec sa clé secrète. Cet ordre est publié via le réseau P2P. Elle doit maintenant être vérifiée et authentifiée comme une transaction dans le système de comptabilité partagée et archivée.

Chaque participant peut utiliser la clé publique pour vérifier si l'ordre de transfert a effectivement été créé par l'expéditeur légitime. Cela permet d'éviter les vols sur les comptes d'autres personnes. Ensuite, la comptabilité précédemment archivée peut être utilisée pour vérifier si le compte d'envoi présente également le solde créditeur nécessaire. Cela permet d'éviter de mettre un compte à découvert ou de dépenser le crédit deux fois. Ce n'est que lorsque l'ordre de transfert a été accepté comme étant conforme aux règles qu'un participant tentera de l'inscrire dans la comptabilité.

Comptabilité

Jusqu'à présent, la cryptocourant ne consiste qu'en un réseau P2P dans lequel les messages signés avec une cryptographie asymétrique sont publiés. La partie essentielle est alors la forme particulière de la comptabilité. Il s'agit de blocs de données, chacun d'entre eux faisant référence à son prédécesseur et formant ainsi une chaîne, la *blockchain*. Chaque bloc de données forme une nouvelle page de la comptabilité partagée. Chaque participant qui souhaite ajouter un nouveau bloc à cette comptabilité peut, en plus des transactions nouvellement comptabilisées à confirmer, y inscrire également une transaction de nulle part sur son propre compte. Il reçoit donc le montant partiel de la nouvelle émission liée à ce bloc, comme le prévoit l'ensemble des règles. C'est pourquoi de nombreux participants sont impatients de créer et de publier ces nouveaux blocs.

Pour limiter les nouveaux problèmes associés, cette création de nouveaux blocs est associée à une difficulté. Pour cela, une fonction unidirectionnelle réalisée comme une fonction de hachage cryptologique doit être calculée à partir du bloc. Cette valeur de hachage doit satisfaire à une condition généralement acceptée pour être reconnue comme un nouveau bloc valable. Dans le cas le plus simple, la valeur doit être inférieure à un seuil déterminé. Plus cette valeur seuil est faible, plus la probabilité que la valeur de hachage nouvellement calculée soit inférieure à celle-ci est faible. Par conséquent, il est plus difficile de créer un tel bloc. Le participant doit maintenant modifier le bloc jusqu'à ce qu'il ait créé un bloc valide dont la valeur de hachage est inférieure à la valeur limite. Pour ce faire, chaque bloc contient une valeur appelée nonce, dont la seule fonction est d'être modifiée jusqu'à ce que la valeur de hachage du bloc entier remplisse ainsi la condition. Comme il s'agit d'une fonction à sens unique, il n'est pas possible de calculer directement le nonce requis. La difficulté consiste donc à calculer la valeur de hachage des blocs modifiés jusqu'à ce que, par hasard, une valeur inférieure au seuil donné soit atteinte. Les fonctions de hachage utilisées par diverses cryptocurrences comprennent SHA-2 (Bitcoin, Peercoin), SHA-3 (Copperlark, Maxcoin), Scrypt (Litecoin, Worldcoin) et POW (Protoshares).

Afin de documenter la séquence ininterrompue des blocs de manière inviolable, chaque nouveau bloc doit également contenir la valeur de hachage de son prédécesseur. De cette façon, les blocs forment plus tard une chaîne dont la connexion ininterrompue et inchangée peut être facilement vérifiée par n'importe qui. L'effort important pour créer de nouveaux blocs conformes aux règles non seulement limite le taux de nouvelles émissions, mais augmente également l'effort pour créer un faux. Une fois qu'un participant a été le premier à créer un nouveau bloc valable, il peut le publier sur le réseau P2P. Les autres participants peuvent le vérifier et, s'il est conforme aux règles convenues, il est ajouté à la chaîne de blocs actuelle et accepté comme nouveau dernier bloc de la chaîne.

Les transactions contenues dans le nouveau bloc ne sont donc initialement confirmées que par ce seul participant qui a généré le bloc. Ils ne sont donc crédibles que dans une mesure limitée. Toutefois, si le bloc a également été accepté comme valable par les autres participants, ceux-ci saisiront sa valeur de hachage dans leurs nouveaux blocs à créer. Si la majorité des participants considèrent que le bloc est valable, la chaîne se développera plus rapidement à partir de ce bloc. S'ils ne le jugent pas valable, la chaîne continuera de se développer à partir du dernier bloc jusqu'à présent. Les blocs ne forment pas une simple chaîne, mais un arbre. Seule la chaîne la plus longue de l'arbre à partir du premier bloc (racine) est considérée comme valide. Ainsi, cette forme de comptabilité est automatiquement constituée des blocs que la majorité a acceptés comme valables. Ce premier bloc, qui sert également à lancer une cryptocarte, est appelé le **bloc de genèse.** Dans de nombreux cas, il est déjà inclus dans le logiciel d'exploitation de la cryptocarte et est le seul bloc qui ne contient pas une valeur de hachage d'un prédécesseur.

Chaque participant qui crée un nouveau bloc sur la base d'un précédent accepte et confirme que les blocs précédents sont conformes aux règles. Plus de nouveaux blocs sont créés sur la base d'un bloc existant, mieux les transactions qu'il contient sont confirmées collectivement et donc irrévocablement documentées dans le réseau. En ajustant le niveau de difficulté à la puissance de calcul dépensée par les participants, il est possible d'ajuster le rythme auquel les nouveaux blocs sont créés avec succès. Pour Bitcoin, après 2016 blocs, cette valeur est ajustée de sorte qu'en moyenne, un nouveau bloc peut être attendu toutes les 10 minutes. L'ajustement a donc lieu environ toutes les deux semaines. Toute personne qui souhaite effectuer une transaction et qui a besoin pour cela d'une confirmation du réseau des participants doit donc attendre en moyenne 10 minutes jusqu'à ce qu'elle soit inscrite dans un nouveau bloc. Au bout d'une heure environ, cinq autres ont été ajoutés à ce bloc. Quiconque voudrait maintenant contester ces transactions devrait dépenser six fois plus de puissance de calcul que le reste des participants dans le monde entier pour établir une autre branche valable dans la chaîne de blocage. Il est donc presque impossible de supprimer ou de modifier des transactions une fois qu'elles ont été saisies.

Frais de transaction

Afin d'éviter les attaques contre le fonctionnement d'une cryptocarte en raison de la surcharge (attaques par déni de service), des frais de transaction sont facturés pour éviter les transferts inutiles de petits montants. Ces frais de transaction sont perçus en permettant au créateur d'un nouveau bloc d'y inclure le transfert du montant convenu sur son propre compte. Les frais de transaction constituent donc une incitation à participer à la création de nouveaux blocs en plus des nouvelles émissions. Ils continuent à fournir une incitation économique à participer même si aucune nouvelle émission plus rentable n'a lieu.

La taille des blocs étant limitée, il se peut que les transactions doivent attendre plus longtemps pour être incluses dans un nouveau bloc. Si l'initiateur de la transaction veut accélérer ce processus, il peut volontairement inscrire des frais de transaction plus élevés dans son ordre de transfert. Les autres participants incluront alors de préférence cette transaction dans leurs nouveaux blocs afin de s'approprier cette augmentation des frais de transaction.

Résumé

Les étapes de la gestion d'une cryptocarte décentralisée sont les suivantes :

1. Les nouvelles transactions sont signées et envoyées à tous les nœuds.
2. Chaque nœud collecte les nouvelles transactions dans un bloc.

3. Chaque nœud recherche le nonce qui rend son bloc valide.
4. Lorsqu'un nœud trouve un bloc valide, il le diffuse à tous les autres nœuds.
5. Les nœuds n'acceptent le bloc que s'il est valable selon les règles :

- La valeur de hachage du bloc doit correspondre au niveau de difficulté actuel.
- Toutes les transactions doivent être correctement signées.
- Les transactions doivent être couvertes conformément aux blocs précédents (pas de double dépense).
- Les frais de nouvelles émissions et de transactions doivent être conformes aux règles acceptées.
- Les nœuds expriment leur acceptation du bloc en adoptant sa valeur de hachage dans leurs nouveaux blocs.

Les étapes se chevauchent. De nouveaux blocs sont continuellement recherchés et de nouvelles transactions sont créées tout aussi continuellement. Pour le nœud individuel, la probabilité de trouver un nouveau bloc ne change pas en raison de l'insertion d'une nouvelle transaction. Comme chaque nœud préfère entrer sa propre clé publique pour recevoir le nouveau numéro, les blocs sur lesquels on travaille simultanément dans le monde entier sont tous différents.

Évolutivité

Problème

L'application des cryptocurrences actuelles de la manière décrite ici se heurte dans la pratique à des limites en termes de temps et de besoins de communication et de stockage. Quiconque veut vérifier la crédibilité d'un transfert ou le solde d'un compte pour lui-même doit connaître la chaîne de blocage actuelle jusqu'au bloc Genesis. Pour ce faire, chaque participant au réseau P2P de la monnaie doit stocker une copie complète du grand livre mondial à ce jour. L'application pratique d'une cryptocarte avec la même évidence que, par exemple, une carte de crédit, ferait rapidement entrer la comptabilité dans des proportions difficiles à gérer.

En comparaison, le Bitcoin, la monnaie de cryptologie la plus vendue, a fait l'objet d'une moyenne d'environ 30 transactions par minute en décembre 2013. En comparaison, Visa Inc. en avait environ 200 000 avec un système de réservation qui a testé à 47 000 transactions par seconde en août 2013. Malgré le volume relativement faible des réservations, les besoins de stockage en chaîne de bits ont augmenté d'environ 8,8 Go pour atteindre 12,6 Go en 2013. Chaque participant devrait déjà charger environ 24,7 Mo par jour à partir du réseau, en supposant des conditions constantes, et les mettre à nouveau à la disposition des autres conformément au concept P2P.

Le rythme limité auquel les nouveaux blocs sont générés et l'indéterminisme du processus entraînent des délais de confirmation d'une longueur imprévisible. Dans Bitcoin, par exemple, le niveau de difficulté n'est ajusté que toutes les deux semaines afin de générer ensuite un nouveau bloc aussi précisément que possible toutes les 10 minutes. Les fluctuations de la puissance de calcul réelle exploitée et la dispersion inhérente au principe entraînent des temps d'attente de 5 à 20 minutes pour les confirmations de transactions. Les cryptocurrences plus récentes fonctionnent donc avec des ajustements modifiés du degré de difficulté et des taux partiellement augmentés pour la génération de blocs.

Approche de la solution

Afin d'obtenir des taux réalisables pour un mode de paiement généralisé et adapté à l'usage quotidien, l'approche P2P, selon laquelle tout le monde fait la même chose, doit être abandonnée. Les immenses besoins de stockage pourraient alors être réalisés avec des serveurs d'archives qui sont les seuls à stocker l'ensemble de la chaîne. Sur cette base, la validation complète des serveurs fonctionne en chargeant initialement la chaîne de blocs à partir des serveurs d'archives, mais en ne travaillant qu'avec une partie de celle-ci pendant le fonctionnement. Ils assument la charge réelle des affectations qui ont lieu. Les participants pourraient alors utiliser un logiciel de vérification simplifiée des paiements (*SPV*) et ne recevoir que des informations partielles des serveurs.

Dans la pratique, il serait également envisageable que les prestataires de services effectuent des contrôles et assurent le risque résiduel, à l'instar d'une police d'assurance pour un ordre de transfert. Un client n'a besoin de connaître que le solde de son compte et peut créer et signer numériquement un ordre de transfert avec ses clés cryptographiques privées (le portefeuille), même sans copie de la chaîne de blocage. Le commerçant pourrait l'envoyer à son prestataire de services pour vérification et obtiendrait un résultat aussi rapide que pour les autres méthodes de paiement autres qu'en espèces. Le paiement instantané, par exemple avec un smartphone à la caisse d'un détaillant, est donc envisageable. Les terminaux de point de vente doivent être mis à niveau en conséquence dans un avenir proche.

Toutefois, ces approches ramènent à l'introduction d'une couche de services et abandonneraient l'idée originale d'une monnaie existant sans tiers de confiance. Toutefois, contrairement aux banques, l'ensemble du processus serait toujours transparent pour tout le monde. Comme auparavant, n'importe qui pouvait également accéder à l'intégralité d'un serveur d'archives s'il voyait une raison de le faire. Grâce au concept de blocs divisibles décrit ci-dessous, les réservations individuelles peuvent être vérifiées avec des applications SPV sans avoir à faire confiance à une couche de service.

Blocs divisibles

Si la valeur de hachage du prédécesseur complet est stockée dans chaque bloc, le bloc complet est également requis dans chaque cas afin de vérifier qu'il n'y a pas de lacunes dans la chaîne. On a donc besoin de toute la comptabilité, même si l'on ne s'intéresse pas à chaque écriture. Pour éviter cela, on utilise des arbres à haschisch. Au lieu de déterminer une valeur de hachage sur l'ensemble du bloc, on peut calculer les valeurs de hachage des transactions individuelles et les organiser sous la forme d'un arbre de hachage. À la racine de l'arbre, cela fournit à nouveau une valeur de hachage qui sécurise collectivement toutes les transactions. On peut ainsi créer un en-tête de bloc qui ne contient que la valeur de hachage du prédécesseur, le nonce et la valeur de hachage de la racine du propre arbre.

Bien que cela rende le bloc individuel plus grand, l'exhaustivité de la chaîne peut maintenant être vérifiée uniquement sur la base des en-têtes de bloc relativement petits. Ces en-têtes peuvent donc être facilement stockés et leurs besoins en mémoire ne dépendent pas du nombre de transactions effectuées. Dans le cas de Bitcoin, il s'agit de 80 octets toutes les 10 minutes, soit environ 4 Mo par an.

La blockchain est donc une série d'arbres à haschisch, dont seules la racine et sa concaténation présentent un intérêt au départ. Si une application SNI veut vérifier une transaction individuelle, elle n'a besoin que du sous-arbre correspondant afin de pouvoir vérifier la valeur de hachage de la transaction en utilisant les valeurs de ce sous-arbre jusqu'à la racine. Il n'est pas nécessaire de faire confiance au serveur de validation complète ou aux serveurs d'archives à partir desquels le sous-arbre est obtenu. Le sous-arbre, avec ses valeurs de hachage, représente le lien vérifiable entre la transaction individuelle et l'en-tête du bloc dans lequel elle a été publiée. Cette procédure permet, avec très peu d'efforts, de vérifier la validité d'une écriture sans connaître le reste de la comptabilité. Une demande de SPV est donc la solution minimale pour recevoir des paiements.

Les en-têtes de bloc relativement petits sont l'une des raisons pour lesquelles le matériel spécialisé peut être utilisé de manière extrêmement efficace pour l'exploitation minière. Pour chaque nouveau nonce, seule la valeur de hachage de l'en-tête du petit bloc est calculée, et non le bloc entier. Le besoin de mémoire est donc très faible. C'est exactement ce que les nouvelles fonctions de hachage comme le scrypt essayent d'éviter en augmentant artificiellement la mémoire requise et en réduisant ainsi l'impact du matériel spécialisé sur la monnaie.

les bassins miniers

À mesure que l'intérêt pour une monnaie cryptographique augmente, le nombre de ceux qui veulent participer aux nouvelles émissions augmente naturellement. Le participant individuel est en concurrence avec la puissance de calcul croissante de tous les autres participants. En outre, à mesure que l'intérêt augmente, la valeur d'échange de la monnaie augmente également. Cela conduit à une situation où les nouvelles émissions pour de nouveaux blocs deviennent de plus en plus précieuses et, en même temps, il est de moins en moins probable de les obtenir en tant que participant unique.

Les pools miniers ont une motivation similaire à celle des pools de loterie. Plusieurs participants investissent ensemble pour augmenter les chances de réaliser un bénéfice, puis le divisent entre eux. Dans le cas des cryptocurrences, la puissance de calcul est mise en commun afin de partager ultérieurement les bénéfices (nouvelles émissions, frais de transaction).

Un fournisseur de services central permet aux participants de s'y connecter. À l'aide d'applications spéciales, les participants mettent leur propre puissance de calcul à la disposition du fournisseur de services. Le prestataire de services détermine un nouveau bloc et attribue les intervalles du nonce à rechercher aux différents participants. De cette façon, tous les participants travaillent en parallèle sur le même problème qu'un seul nœud essaierait normalement de résoudre. Si un participant trouve un nonce qui conduit à un blocage valable, le blocage peut être publié et le bénéfice partagé.

Comme tous les participants travaillent sur le même bloc avec des valeurs différentes du nonce, l'espace de recherche est réparti entre les participants et la recherche est donc beaucoup plus rapide en moyenne. Comme le bloc contient déjà le compte cible des gains et que la valeur de hachage changerait inévitablement si l'adresse était modifiée, il est impossible pour un participant de poster un nouveau bloc réussi par lui-même. Si des blocs divisibles avec des arbres de hachage sont utilisés (voir ci-dessus), le participant individuel n'a généralement pas non plus connaissance des transactions du nouveau bloc. Il ne reçoit que le modèle du nouvel en-tête de bloc et recherche le nonce correspondant.

Si chaque participant (régulièrement ou après qu'un nouveau bloc ait été trouvé) déclare son meilleur nonce, l'exploitant du gisement minier peut l'utiliser pour estimer la puissance de calcul effectivement réalisée par le participant concerné. Pour ce faire, il insère le nonce dans l'en-tête du bloc traité collectivement et calcule la valeur de hachage. Plus la valeur de hachage est faible ou plus elle est proche du niveau de difficulté actuel, plus la puissance de calcul dépensée est élevée. En raison de la dispersion statistique de la tâche de preuve du travail, cette puissance de calcul estimée doit être calculée en moyenne sur plusieurs nouveaux blocs traités. La falsification frauduleuse de la puissance de calcul qui n'a en fait pas été effectuée est donc largement exclue. Le bénéfice peut être réparti entre les participants proportionnellement à la puissance de calcul effectuée.

Les bassins miniers deviennent problématiques en raison de la perte de contrôle par les participants. L'API de nombreux pools ne permet pas au participant de vérifier les transactions que l'opérateur confirme avec le nouveau bloc pour le grand public. En particulier, si les participants ne reçoivent que des modèles de l'en-tête de bloc, la vérification n'est pas possible. Ainsi, l'opérateur du pool reçoit des participants non seulement leur puissance de calcul, mais aussi leur pouvoir de vote majoritaire. Le principe de la démocratie via la puissance de calcul est ainsi mis à mal. Au sens figuré, le participant à un pool minier met son bulletin de vote à la disposition de l'exploitant (voir risques, vote à la majorité par puissance de calcul).

Autodétermination informationnelle

Les cryptocurrences fonctionnent avec un système de comptabilité publique. Chaque participant a un accès illimité à toutes les transactions depuis l'introduction de la monnaie. Il n'y a pas de banque et donc pas de secret bancaire. Cependant, sans banque, il n'existe pas non plus d'entité qui enregistre un participant en tant que personne. Tout le monde peut générer une paire de clés et participer à des transactions de paiement avec le public des deux clés. Cette clé publique est le pseudonyme du participant. Les cryptocurrences sous la forme décrite ici sont donc déjà pseudonymisées par leur nature même.

Toutefois, les pseudonymes ne protègent pas contre l'affectation à une personne par d'autres moyens. De par leur nature même, les opérations de paiement impliquent souvent la fourniture d'informations complémentaires telles qu'une adresse de livraison, une adresse électronique ou d'autres informations similaires. Afin d'éviter que dans un tel cas la chronique entière de toutes les réservations de cette personne soit exposée, chaque participant peut générer un nombre arbitraire de paires de clés et donc de pseudonymes. Ce qui est, par exemple, indésirable ici dans Wikipédia et d'autres services de réseau comme marionnette de chaussette et est parfois même systématiquement poursuivi, est le cas normal prévu avec les cryptocurrences. Cependant, l'anonymat ne peut être obtenu par ce biais.

Anonymisation

Afin d'éviter la traçabilité des paiements, les comptes sont proposés comme un service qui permet de traiter les transactions par leur intermédiaire de manière à rendre aussi difficile que possible l'identification d'un lien entre les transactions entrantes et sortantes. Cela est possible, d'une part, en permettant à de nombreux participants de traiter des ordres de paiement par le biais du même compte et en permettant à l'opérateur seul de connaître la corrélation entre les transactions entrantes et sortantes. Afin d'éviter les corrélations, l'utilisateur du service peut exiger des mesures supplémentaires. Par exemple, le paiement peut être retardé, fractionné en plusieurs versements et/ou réparti sur plusieurs comptes de bénéficiaires (qui peuvent eux-mêmes appartenir à la même personne). Ces services sont appelés services de *mélange* ou, en référence au blanchiment d'argent, services de *blanchisserie.*

Le principal inconvénient est qu'il faut faire confiance aux opérateurs de ces services, tant en ce qui concerne l'anonymisation que l'exécution effective du paiement. Une fois de plus, il faut faire confiance à un service central, semblable à une banque. Cela va à l'encontre du concept de base d'une cryptocourant. Les *services de blanchisserie* peuvent également être réalisés en tant que service décentralisé de la communauté des participants d'une cryptocourant. Les procédures d'engagement, les accumulateurs cryptographiques et les preuves de l'absence de connaissance peuvent être utilisés pour créer une sorte de tableau d'affichage numérique où les montants peuvent être déposés et récupérés de manière anonyme. Pour éviter que les montants déposés ne soient retirés du tableau d'affichage, celui-ci doit être auto-organisé de la même manière que la comptabilité cryptocurrentielle. Ainsi, le tableau d'affichage peut être considéré comme une sorte de monnaie parallèle anonyme à la monnaie cryptographique originale et intégré dans sa comptabilité.

L'anonymat des cryptocurrences et le risque de blanchiment d'argent qui y est associé ont conduit le GAFI à recommander l'introduction de la règle de voyage afin de pouvoir suivre de plus près les transactions en cryptocurrences.

Zerocoin

L'approche d'un tableau d'affichage numérique en tant que monnaie parallèle anonyme est poursuivie par le concept de Zerocoin, qui a été conçu à l'origine comme une extension du protocole Bitcoin. Après que cette extension n'ait pas été acceptée par la communauté des participants Bitcoin pendant des mois, les développeurs ont décidé de l'exploiter comme une cryptocarte autonome, probablement en mai 2014.

Les participants peuvent déposer anonymement des montants sous forme de crédit sur le tableau d'affichage. Ce faisant, ils gardent un secret qui permet de retirer à nouveau ce montant du tableau d'affichage plus tard de manière tout aussi anonyme. Le résultat est une transaction d'un compte à un autre, sans lien apparent entre les deux. Le processus d'une transaction anonyme :

1. Génération d'un numéro de série *S* aléatoire et définition cryptographique de ce numéro au moyen d'une procédure d'engagement. Un engagement *C est* obtenu, qui révèle le numéro de série *S* stocké uniquement à la personne qui possède le numéro aléatoire correspondant *z. Le* numéro de série S est ensuite stocké dans la mémoire cryptographique.
2. L'engagement *C* nouvellement généré est maintenant déposé sur le tableau d'affichage avec le montant correspondant.
3. Si vous souhaitez comptabiliser le montant du tableau d'affichage sur un compte, considérez d'abord l'ensemble de tous les engagements

déposés et générez une preuve de zéro connaissance non interactive pour la déclaration suivante :

Je connais un *C* dans l'ensemble de tous les *C et je* connais la valeur secrète *z pour* ouvrir cet engagement au numéro de série *S*.

4. Cette preuve de l'absence de connaissance est publiée (de préférence sur un canal de communication anonyme tel que Tor) avec le numéro de série *S*.
5. Les autres participants vérifient la preuve et s'assurent que la valeur de *S n'a* pas été utilisée auparavant.
6. Si le résultat de la vérification est positif, les participants autorisent la personne qui a fourni la preuve à transférer le montant en question de n'importe quel poste du tableau d'affichage vers son compte.

En utilisant une preuve de connaissance zéro, ni l'engagement *C en* question ni sa valeur correspondante *z* ne sont connus.

Dangers et critiques

Erreur de logiciel

Les cryptocurrences, comme tous les systèmes qui fonctionnent avec des logiciels, ne sont pas non plus à l'abri des bogues logiciels. Exemples :

1. Le transfert de 184 milliards de CTB (il ne devrait jamais y avoir plus de 21 millions de CTB) le 15 août 2010 était basé sur un débordement arithmétique.
2. Le 11 mars 2013, la chaîne de blocage des bitcoins s'est scindée en deux branches jugées valables par

différents groupes de participants. Ainsi, il y avait une comptabilité incohérente. La cause en était une incompatibilité involontaire d'une nouvelle version de logiciel. Des blocs ont été créés pour rejeter les anciennes versions comme étant non conformes. L'incident témoigne également de l'influence particulière des exploitants de pools miniers ou de matériels puissants sur la monnaie. Il leur a été demandé de déclasser à bref délai jusqu'à ce qu'une version corrigée soit disponible.

Jusqu'à présent, tous les problèmes de bitcoin ont été résolus par des corrections logicielles et un comportement coopératif des parties concernées. Toutefois, rien ne garantit que ce sera le cas pour toutes les cryptocurrences et pour tous les temps. Dans cette optique, la déclaration faite au début sur l'inexistence d'un point d'échec unique doit également être mise en perspective. Si une cryptocarte est exploitée presque exclusivement avec des logiciels provenant d'un seul code source et qu'il n'y a pas de mises en œuvre indépendantes, alors ce code source représente un point de défaillance unique.

Matériel spécialisé

L'utilisation massive de matériel spécialisé pour obtenir de nouvelles émissions a un fort effet de distorsion sur la concurrence générale pour ces émissions. Pour Bitcoin, le hashrate global est actuellement d'environ 1,3 EH/s, soit 1,3 trillion de calculs de la fonction de hachage par seconde. Toutefois, la valeur exacte est sujette à de fortes fluctuations. Comme l'exploitation minière de la BTC devient de moins en moins rentable, des hommes d'affaires ingénieux proposent maintenant leur matériel comme puissance de calcul minière rentable. Pour les cryptocurrences nouvellement conçues, on tente de plus en plus de réduire l'influence du matériel spécialisé. À cette fin, on utilise des fonctions de hachage qui augmentent les coûts du matériel en raison de leurs besoins élevés en mémoire (scrypt), ou on tente de les concevoir de manière à ce qu'elles soient aussi peu adaptées que possible aux GPU et aux FPGA et entraînent les coûts les plus élevés possibles pour les ASIC (POW).

Décision à la majorité par la puissance de calcul

En raison de la décision majoritaire de la puissance de calcul, ces cryptocurrences sont exposées au danger d'être manipulées par des organisations qui parviennent à lever 51 % de la puissance de calcul. C'est ce qu'on appelle une attaque à 51%. Le pool minier GHash.IO a brièvement atteint 42 % dans l'exploitation du bitcoin en janvier 2014. Les deux pools miniers GHash.IO (environ 34 %) et BTC Guild (environ 24 %), avec un total combiné d'environ 58 %, seraient actuellement dans une position combinée pour contrôler le bitcoin (à partir du 19 janvier 2014). L'idée originale du concept de preuve de travail, qui consistait à répartir le contrôle de la monnaie de manière uniforme sur la multitude d'unités centrales de traitement du monde entier, n'a donc pas abouti.

Perte et vol de données

Étant donné que le pouvoir de disposition sur un solde cryptocurrentiel se fait exclusivement par le biais des clés privées secrètes, des soldes ont déjà été irrémédiablement perdus dans le passé en raison de la perte de données. Un remboursement par d'autres moyens est généralement impossible, car le crédit perdu ne peut en principe pas être distingué des actifs parqués et actuellement inutilisés. Cela conduit également au fait que le montant réel de l'argent qui peut être échangé n'est pas connu.

Les clés pour disposer d'un solde créditeur, qui sont relativement petites en termes de mémoire requise, sont également une cible facile pour les criminels informatiques. Comme les mots de passe, ils peuvent être espionnés par des logiciels malveillants. En raison de l'utilisation de pseudonymes dans le monde entier, la poursuite de tels vols de biens cryptographiques n'est guère prometteuse. En conséquence, les entreprises proposent déjà le stockage sécurisé de ressources cryptographiques en tant que service.

Distribution

Certaines cryptocurrences sont injustes pour le grand public dans la mesure où des parties importantes des nouvelles émissions ont déjà été pré-minées par les fondateurs ou que la startup ayant les plus hauts rendements n'a pas été suffisamment médiatisée depuis longtemps. Souvent, il existe même des règles qui accordent des conditions particulièrement favorables aux participants à la phase de démarrage, appelés early adopters. Si les fondateurs sont accusés d'avoir une intention intéressée, ces cryptocurrences sont également appelées "pièces de monnaie frauduleuses". Le pré-mining peut également être un élément ouvertement documenté du concept, comme dans le cas de Ripple, qui a été conçu uniquement comme une monnaie d'échange.

Même dans le cas de Bitcoin, qui était initialement considéré comme expérimental, il existe des déséquilibres dès la période de démarrage. Le bitcoin est conçu de telle manière qu'avec les 210 000 premiers blocs (c'est-à-dire dans un délai d'environ quatre ans), la moitié de tous les bitcoins (c'est-à-dire 10,5 millions) sont émis. Depuis que ce bloc a été atteint le 28 novembre 2012, les nouvelles émissions ont été réduites de moitié et continuent à l'être de la même manière tous les quatre ans. Ce jour-là, il y avait un seul compte avec un solde de 111 111 CTB, soit un peu plus de 1 % de tous les bitcoins.

Un an plus tard, en décembre 2013, 47 comptes détenaient 28,9 % des 12 millions de CTB émises. 880 autres comptes en détiennent 21,5 %. La moitié des Bitcoins exploités jusqu'alors sont ainsi détenus par un maximum de 927 comptes. Dix mille autres comptes détiennent 25 % supplémentaires, ce qui laisse environ 1 000 000 de comptes se partager le quart restant.

Fluctuations et manipulation des prix

Comparativement, peu de cryptocurrences dans le monde sont négociables en devises régulières. Souvent, ils sont tout au plus négociables dans d'autres cryptocurrences. En règle générale, les banques n'offrent pas d'échange.

Les cryptocurrences qui sont convertibles peuvent être risquées en raison de leur grande volatilité et sont une cible potentielle pour les attaques par pompage et par déversement. En tant que grands distributeurs automatiques sans capacité (donnée avec la monnaie de la banque centrale) de répondre au marché, ils sont destinés à servir de moyen de paiement, et il est peu probable qu'ils fournissent une monnaie stable. Surtout à des volumes relativement faibles, les cryptocurrences représentent un objet de spéculation où des régimes de taux de change stables par rapport aux devises conventionnelles sont considérés comme peu probables.

Dans ce contexte, les distributions souvent très inégales (voir ci-dessus) constituent également une menace pour la stabilité du taux de change des monnaies établies. Si très peu de personnes détiennent de très grandes parties de la monnaie (dans le cas de Bitcoin, environ 1 000 personnes détiennent la moitié de la monnaie), le taux de change est considérablement affecté dès qu'une partie de ce groupe de personnes devient active avec elle. Ces personnes peuvent ainsi effectuer une "décharge" sans "pompage" préalable, mais avec le même effet.

La cryptocouronne ne sécurise que ses propres avoirs. Il permet de savoir quelle clé possède quel bien, de limiter et de réglementer les nouvelles émissions et d'éviter les doubles dépenses. Les taux de change se situent en dehors de ce système. Les taux de change par rapport à d'autres monnaies (surtout conventionnelles) sont des indications de commerçants ou de bourses et peuvent aussi être manipulés en principe. En particulier, ils ne représentent pas une garantie que la cryptodevise sera effectivement échangée à ce rythme.

Consommation des ressources

Certaines cryptocurrences (comme le Bitcoin) utilisent un processus dit de "preuve de travail", dans lequel les participants au réseau sont récompensés par des unités monétaires pour avoir fourni une puissance de calcul. Il peut s'agir, par exemple, d'unités nouvellement générées ou d'un "paiement" pour le règlement d'une transaction. Plus la puissance de calcul d'un participant est importante, plus il a de chances d'être récompensé. Ainsi, une concurrence s'installe entre les participants qui tentent d'augmenter leur part de la puissance de calcul totale du réseau afin de recevoir plus de récompenses. La puissance de calcul plus élevée entraîne une plus grande consommation de ressources (par exemple, d'électricité ou de matériel supplémentaire) ; en 2018, on a calculé que la consommation d'électricité de l'exploitation minière de Bitcoins seule était bien plus élevée que la consommation d'électricité de l'ensemble du Danemark.

Bitcoin, par exemple, est basé sur le fait que la chaîne de transactions est mise à jour à des intervalles de temps à peu près constants. Cela nécessite une preuve de travail, dans ce cas la solution d'un problème cryptographique, qui est choisie de telle sorte que la solution prenne en moyenne autant de temps que l'intervalle de temps souhaité. Comme la puissance de calcul globale du réseau augmente en raison de la concurrence - et aussi en raison de l'adhésion de nouveaux participants au réseau - la difficulté du problème doit être continuellement accrue afin que le temps nécessaire pour trouver une solution reste le même. Cette augmentation de la puissance de calcul se poursuit tant que la récompense semble encore économique par rapport à la dépense supplémentaire que représente une puissance de calcul accrue.

Les cryptocurrences qui utilisent la méthode de la preuve de l'enjeu au lieu de la méthode de la preuve du travail, par exemple, et qui évitent complètement l'"exploitation minière", ont une consommation d'énergie beaucoup plus faible. Il s'agit de Ripple (XRP), mais aussi de "petites" cryptocurrences (en termes de capitalisation boursière) telles que NANO et EverGreenCoin (EGC), pour lesquelles la protection des ressources naturelles est un objectif explicite des communautés d'utilisateurs.

Autres

Sécurité cryptologique : la sécurité d'une monnaie cryptographique est largement déterminée par la sécurité des procédures qui y sont utilisées. Par exemple, le SHA-2 a été développé en réponse à des attaques connues contre le SHA-1. Si quelque chose de similaire devait se reproduire avec le SHA-2 ou une autre fonction de hachage, les cryptocurrences basées sur celui-ci seraient manipulables.

Crédibilité : de nombreuses cryptocurrences ne sont que des répliques légèrement modifiées de monnaies déjà existantes, sans progrès technique significatif. Dans certains cas, ils ne sont pas non plus pris au sérieux, comme le montre l'exemple de "Coinye West", qui fait allusion au rappeur Kanye West.

Régulateurs : Les régulateurs de certains pays se sont prononcés contre l'utilisation des cryptocurrences et, dans certains cas, ont déjà pris des mesures réglementaires concrètes pour décourager leur utilisation. Lors du sommet du G20 à Buenos Aires en 2018, il a été décidé de réglementer les crypto-actifs pour lutter contre le blanchiment de capitaux et le financement du terrorisme conformément aux normes du GAFI et d'envisager d'autres mesures si nécessaire.

Rétrofacturation : les transactions étant irréversibles, les opérateurs de cryptocrédit courent le risque de se retrouver avec la perte après une rétrofacturation lorsqu'ils échangent contre des méthodes de paiement rétrofacturables (débit direct, carte de crédit, PayPal, etc.).

Interdictions de publicité : Google (à partir de mars 2018) et Facebook (à partir de janvier 2018) interdisent les publicités pour les cryptocurrences. Le problème était la nature spéculative et les sites web frauduleux. En conséquence, la publicité pour les cryptocurrences est interdite sur les deux plus grandes plateformes publicitaires sur Internet. Cependant, à l'automne 2018, l'interdiction a déjà été partiellement levée par Google. Depuis lors, les annonceurs certifiés peuvent à nouveau faire de la publicité pour les cryptocurrences et les services financiers liés à la cryptographie dans certains pays. Toutefois, les publicités pour les OIC sont toujours exclues.

La *cryptocouronne comme monnaie d'État* : la propagande de l'État a présenté le Venezuela comme un "pionnier du monde" lorsque la cryptocouronne d'État Petro a soi-disant été introduite. Lors de la faillite de facto du pays, la monnaie nationale, le bolívar vénézuélien, avait perdu toute confiance. Il s'agissait peut-être d'une tentative du gouvernement de déplacer d'autres cryptocurrences ; c'était le moyen évident pour les Vénézuéliens d'échapper à leur monnaie nationale et à son hyperinflation d'une part, et de recevoir les envois de fonds des Vénézuéliens qui fuyaient à l'étranger d'autre part, alors que les devises librement convertibles étaient interdites dans le pays.

D'autres pays discutent de l'émission d'une monnaie cryptographique d'État. Il s'agit notamment des États-Unis avec FedCoin, de la Russie, de la Turquie et de l'Estonie, pays à la pointe de la technologie, qui travaille de manière ambitieuse à l'adaptation.

La Russie a flirté avec l'introduction d'une cryptocourant pour contourner les sanctions, mais la Banque centrale de Russie a trouvé l'introduction d'une cryptocourant au rouble trop risqué pour la stabilité du rouble. Au lieu de cela, la Russie a encouragé le Venezuela à faire le pas parce que le Venezuela n'avait rien à perdre.

Learning Coin de *la Banque mondiale et du FMI :* La première monnaie cryptographique propre aux deux agences spécialisées des Nations Unies n'est pas conçue comme un moyen de paiement, mais la Learning Coin a été développée à des fins d'apprentissage et de recherche internes. Cependant, cette avancée est une preuve supplémentaire que les monnaies numériques sont également considérées comme ayant un grand potentiel par les acteurs traditionnels de la politique et de la société.

Ransomware : Au niveau international, depuis début 2019, les rançons via des cryptocurrences sont "plus fréquentes". Le 9 janvier 2019, un cas a été signalé pour la première fois en Norvège - dans la monnaie Monero.

Ethereum

Ethereum est un système distribué open source qui propose la création, la gestion et l'exécution de programmes ou de contrats décentralisés (contrats intelligents) dans sa propre chaîne de production. Elle représente donc un contre-projet à l'architecture client-serveur classique.

Ethereum utilise l'*éther* interne de la cryptocarte (abréviation *ETH*, symbole : Ξ) comme moyen de paiement pour le traitement des transactions, qui sont traitées par les ordinateurs participants.

En février 2021, l'éther est la deuxième monnaie cryptographique la plus importante après le bitcoin.

Technologie

Ethereum, comme Bitcoin, est basé sur la technologie des chaînes de blocs. Contrairement à Bitcoin, cependant,

Ethereum n'est pas une pure monnaie de cryptologie, mais aussi une plateforme pour les "Dapps" (Decentralized Apps), qui consistent en des contrats intelligents. Il existe toute une série d'applications pour les contrats intelligents, notamment les systèmes de vote électronique, les organisations virtuelles, la gestion des identités et le financement communautaire.

Ethereum est un système distribué dont les participants (*comptes* ou *contrats Ethereum*) utilisent le propre réseau peer-to-peer d'Ethereum pour échanger des données sans serveur central. Tous les participants travaillent avec une base de données partagée, la chaîne de blocs Ethereum. Pour participer, un client Ethereum est tenu de se synchroniser avec le réseau avant utilisation, ce qui signifie qu'il télécharge et vérifie chaque transaction documentée dans la chaîne de blocage depuis la dernière synchronisation. Pour la synchronisation initiale, certains clients disposent d'un mode rapide qui ne nécessite pas le téléchargement de toute la chaîne de blocs. *Ethereum Wallet*, *MyCrypto*, *MyEtherWallet*, *HelioWallet*, *Parity, Freewallet* et *Exodus* (portefeuille multi-actifs pour diverses cryptocurrences) servent de porte-monnaie. Les "clients légers" permettent de surveiller l'état d'une partie de l'ensemble de la plate-forme Ethereum ou de vérifier des transactions individuelles avec peu de capacité. Toutefois, ces derniers sont toujours en cours de développement en octobre 2016.

Actuellement, Ethereum est encore créé par un algorithme dit de preuve du travail, qui doit être remplacé par un algorithme de preuve de l'enjeu au cours des phases de développement. Si vous souhaitez participer activement à la production d'Ethereum aujourd'hui (à partir d'avril 2017), c'est possible via l'exploitation minière d'Ethereum. Dans ce processus, un algorithme spécial (Ethash) est exécuté sur le CPU ou le GPU. En récompense, les mineurs d'Ethereum reçoivent de l'éther en échange. Afin de regrouper leurs performances et d'augmenter ainsi les chances de recevoir une récompense, les mineurs d'Ethereum se regroupent dans des pools miniers.

Ethereum est constitué d'un certain nombre de composantes ou de concepts qui sont entrelacés :

Nœuds

Un nœud est un ordinateur qui fait partie du réseau Ethereum. Il stocke une copie incomplète (client léger) ou complète (nœud complet) de la chaîne de blocs et la met à jour en permanence. En outre, il existe des "nœuds miniers" qui confirment les transactions, c'est-à-dire la *mine*.

En janvier 2021, il y a 11643 nœuds sur le réseau Ethereum, le pourcentage de nœuds miniers ne peut être déterminé avec précision.

contrats intelligents

Les contrats intelligents sont des programmes qui sont automatiquement exécutés dès qu'une somme spécifiée dans le contrat est transférée dans Ether. Cela signifie que la vérification (manuelle) d'un paiement entrant n'est plus nécessaire, car le transfert lance directement la contrepartie spécifiée dans le programme.

Chaque transaction est stockée dans l'ensemble de la chaîne de blocage, c'est-à-dire sur tous les appareils connectés au réseau. Le concept décentralisé de la chaîne de blocage permet de vérifier en permanence l'intégrité de l'ensemble de la base de données.

Les contrats intelligents sont pour la plupart écrits en Solidity, un langage de programmation développé spécifiquement pour Ethereum. Ils sont ensuite traduits en bytecode et exécutés sur la *machine virtuelle Ethereum (EVM)*. Une machine virtuelle encapsule essentiellement un environnement client à partir de l'environnement hôte, c'est-à-dire les autres applications d'un ordinateur. Les machines virtuelles Ethereum ont été implémentées en Ruby, Elixir, C ++, C #, Go, Haskell, Java, JavaScript, Python, Rust, Erlang, et bientôt WebAssembly.

Applications décentralisées (DApps)

Les *DApps* sont des programmes qui fonctionnent sur la chaîne de blocs et donc sur tous les nœuds en parallèle. La façon la plus simple de concevoir un DApp est de le considérer comme un site web. Cependant, alors que les sites web classiques sont connectés à un serveur central et éventuellement à des bases de données via l'API, le DApp est connecté à la chaîne de blocage via un contrat intelligent. Le DApp "achète" le "gaz" - c'est-à-dire un carburant - nécessaire à son exécution sur la chaîne de montage via le contrat intelligent utilisant l'Ether.

Cette méthode est plus coûteuse et plus lente que le modèle client-serveur traditionnel, mais elle présente certains avantages : Sur les serveurs centralisés, les attaquants peuvent manipuler les données. Toutefois, le concept décentralisé de la chaîne de blocage permet de vérifier en permanence l'intégrité de l'ensemble de la base de données. Ainsi, les applications décentralisées sont tolérantes aux pannes, immuables et ne subissent pas d'interruptions de connexion.

Ether

L'éther est la "monnaie" du réseau Ethereum. Toutefois, le réseau permet de créer d'autres monnaies - des "tokens" - qui peuvent ensuite être échangées contre de l'éther.

Actuellement, il y a environ 110,9 millions d'éthers en circulation. Avec une capitalisation boursière d'environ 19,17 milliards d'euros (au 11 mai 2020), Ethereum est le deuxième plus grand système cryptocriminel derrière le réseau Bitcoin et devant Ripple, et offre, là encore, plus de fonctions qu'un système monétaire.

Organisation Autonome Décentralisée (OAD)

Une **Organisation Autonome Décentralisée** (**OAD**) est une organisation dont la structure et les règles de gestion sont écrites numériquement et de manière immuable par un contrat intelligent, exécuté de manière décentralisée (ici par le réseau Ethereum), et donc sans les organes décisionnels classiques tels qu'un conseil d'administration.

Le DAO

Le DAO est le plus populaire des DAO mis en œuvre dans la chaîne de blocs Ethereum jusqu'à présent. Il a été développé et publié par la société *Slock.it. En* résumé, la mission du *DAO est de* collecter l'éther (la cryptocouronne par défaut dans l'Ethereum) en vendant des actions avec droit de vote, de tenir un panel de décision sur la façon d'utiliser l'éther collecté, et de transférer l'éther collecté en conséquence. Il s'agit donc d'une entreprise d'investissement autonome et automatisée. *Le DAO* a été téléchargé dans la chaîne de blocage en avril 2016 et a été financé par la foule jusqu'au 28 mai 2016 (acheté à l'aide de l'Ether, une monnaie cryptographique). Les jetons DAO, qui permettent de voter pour les décisions prises dans le cadre du *DAO,* peuvent être échangés sur diverses bourses de cryptage.

Le 17 juin 2016, un inconnu a rendu inutilisable 3,6 millions d'Ether grâce à un bug dans le contrat intelligent du *DAO.* À l'époque, ces derniers valaient plus de 65 millions d'euros.

Une *fourchette difficile pour* inverser l'attaque a été très controversée dans la communauté, mais a ensuite été adoptée par un vote. Cette fourchette dure a dépouillé le DAO attaquant de ses *éthers, ce qui a donné lieu à* deux chaînes de blocs, dont l'original se poursuit sous le nom d'**Ethereum Classic** (**ETC**). **Sur la** base de divers paramètres et du vote de la communauté, la Fondation Ethereum a décidé de limiter ses activités de développement à la seule chaîne principale (toujours appelée *Ethereum) en forme de fourche* (ou de *fourchette)* et de ne pas se préoccuper d'*Ethereum Classic.*

Clients

les clients de preuve de travail

Il existe plusieurs implémentations de clients Ethereum, des programmes d'application pour les utilisateurs finaux :

les clients de la preuve d'enjeu

Pour le passage prévu du réseau à la preuve de l'enjeu (voir la section "Transition vers la preuve de l'enjeu"), plusieurs nouveaux clients sont en cours de développement qui soutiennent le nouveau mécanisme de consensus :

- Phare, développé à Rust
- Prysm, développé à Go
- Teku, développé à Java
- Nimbus, développé à Nim

ERC-721/Tokens non fongibles

La communauté Ethereum a déclaré que le *protocole ERC-721 était* la norme pour les jetons non fongibles sur Ethereum.

Histoire

Ethereum a été initialement décrit en termes généraux par Vitalik Buterin fin 2013 dans le livre blanc "Ethereum : A Next Generation Smart Contract & Decentralized Application Platform" et présenté à la North American Bitcoin Conference à Miami en janvier 2014. Gavin Wood, co-fondateur du projet, a publié la spécification et la conception formelles de la *machine virtuelle* Ethereum *(EVM)* en avril 2014 avec le "Ethereum Yellow Paper". En juillet 2015, le réseau Ethereum a été lancé. Sept mois plus tard, le 29 février 2016, la cryptocouronne utilisée dans Ethereum, l'éther, a atteint une capitalisation boursière de plus de 500 millions de dollars. Deux semaines plus tard, le 12 mars 2016, elle avait déjà doublé et l'Ether a pu enregistrer une capitalisation boursière de plus d'un milliard de dollars. Le développement est mené par la *fondation* suisse *Ethereum (Fondation Ethereum).*

Le co-fondateur est l'ancien directeur de Goldman Sachs, Joseph Lubin, qui développe des applications pour Ethereum avec sa société ConsenSys basée à New York. Il a été le PDG de la société suisse Ethereum Switzerland GmbH (EthSuisse), fondée au début de 2014. Toujours en 2014, une fondation suisse Ethereum et une organisation à but non lucratif ont été créées, qui ont lancé une campagne de crowdfunding Ethereum Bitcoin pour financer le coût du développement, en vendant le premier Ether généré contre Bitcoin, ce qui a permis de récolter plus de 18 millions de dollars au total. En mars 2017, des groupes de recherche, des start-ups, de grandes entreprises et des banques ont formé l'Enterprise Ethereum Alliance (EEA).

Ethereum classic est devenu la cible de pirates informatiques au début de 2019, qui ont attaqué le réseau de la chaîne de blocage et capturé des cryptocurrences d'une valeur d'environ 1,5 million de dollars américains. Pour ce faire, ils avaient apparemment pris le contrôle du réseau minier et réorganisé la chaîne de blocs de manière à ce que les unités de la monnaie puissent être émises deux fois. La plate-forme de négociation Coinbase a alors cessé de négocier l'*ethereum classic.*

Phases de développement

En juillet 2015, la version bêta d'Ethereum, appelée *Ethereum Frontier,* a été publiée. Ethereum Frontier était le cadre de base d'Ethereum, et ses principales caractéristiques consistaient en la mise en œuvre d'un algorithme de preuve du travail et de programmes exécutés distribués, appelés contrats intelligents.

En mars 2016, les promoteurs sont passés de la phase "Frontier" à l'objectif intermédiaire suivant, "Homestead". Homestead a principalement veillé à ce que l'utilisation d'Ethereum devienne plus sûre, car des bugs ont été corrigés.

Les autres principaux objectifs des développeurs d'Ethereum sont "Metropolis" et "Serenity". L'objectif intermédiaire de Metropolis est de créer des applications destinées à l'utilisateur final et donc une "phase d'intégration". Metropolis facilitera l'utilisation pour les utilisateurs finaux, par exemple, grâce à des clients légers, ils n'auront plus à télécharger l'intégralité de la chaîne de blocs Ethereum et soulageront ainsi leurs propres ordinateurs. Une autre innovation aura lieu avec la mise en place de ZK-SNARKS, qui permet de réaliser des transactions totalement anonymes dans le réseau public Ethereum.

L'objectif final de Serenity assure le passage d'un algorithme de preuve du travail à un algorithme de preuve de l'enjeu.

Passage à la preuve de l'existence d'un enjeu

Le 1er décembre 2020, la chaîne Beacon a été officiellement lancée et, pour la première fois, il a été possible de rentabiliser l'Ether sans utiliser de protocoles externes. À cette fin, soit la chaîne de balises et le logiciel de validation peuvent être exécutés sur un serveur dédié (ou virtuel), soit les retours peuvent être réalisés sur l'Ethernet existant au moyen d'un fournisseur de piquetage (généralement des échanges pour des cryptocurrences).

Pour la prise en solo avec son propre matériel, au moins 32 Ether sont nécessaires pour faire fonctionner un seul validateur. Pour cela, il faut un serveur sur lequel fonctionnent le logiciel de la chaîne de balises et le validateur. Le logiciel de validation est capable d'exécuter un nombre quelconque de validateurs (avec 32 Ether chacun) sur un seul serveur.

Un nombre quelconque d'éthers (même inférieur à 32) peut être utilisé pour le jalonnement via, par exemple, l'un des échanges cryptographiques.

Le validateur se charge de générer de nouveaux blocs et de valider les transactions (comme dans le cas des mineurs, mais sans l'immense consommation d'énergie) - le serveur doit être en ligne en permanence, si ce n'est pas le cas, le validateur est "puni" et perd régulièrement une petite partie de son éther jusqu'à ce qu'il soit à nouveau disponible. Cela permet de garantir que tous les validateurs ont la plus grande disponibilité possible et que l'ensemble du réseau est donc toujours stable.

Dans la phase de développement actuelle, il n'est possible de déposer de l'éther dans le contrat de dépôt et de le mettre en jeu à l'aide d'un validateur, mais il n'est pas encore possible de retirer l'éther déposé à nouveau. Cette fonctionnalité est attendue avec l'une des prochaines mises à jour. Toutefois, il est possible de sortir volontairement d'un validateur, ce qui signifie que le validateur peut être hors ligne sans encourir de pénalités.

Pour la gestion de l'éther déposé, on a développé le Contrat de Dépôt dont le code et les transactions peuvent être consultés par tous sur la Blockchain Ethereum : En janvier 2021, le Contrat de Dépôt contient 2,85 millions d'éthers pour une valeur de 3,2 milliards d'euros, ce qui correspond à un nombre de 88 915 validateurs.

Le montant des retours obtenus est variable et dépend du nombre de tous les validateurs. Actuellement (janvier 2021), le rendement annuel est de 9,3 %.

Prochaines étapes

La prochaine étape pour le passage du réseau Ethereum à la preuve de l'enjeu est le "sharding". Le réseau sera divisé en plusieurs tessons, ce qui devrait améliorer la charge sur les différents nœuds et l'extensibilité du réseau. Cette étape doit être mise en œuvre en 2021.

La dernière étape devrait être le "docking", qui reliera le réseau Ethereum 1.0 existant au nouveau réseau Ethereum 2.0, marquant la fin de la preuve du travail et achevant la transition vers la preuve de l'enjeu. La date prévue pour cela est 2022.

Litecoin

Litecoin (symbole : Ł ; abréviation : **LTC**) est une monnaie de cryptographie poste à poste incorporée dans un projet de logiciel libre, qui à son tour a été publié sous la licence MIT/X11.

Histoire

Litecoin a été publié le 7 octobre 2011 via le client open source Litecoin Core par Charlie Lee sur GitHub.

Description

Le système Litecoin est techniquement mis en œuvre de manière presque identique au système Bitcoin. La création et le transfert de Litecoins sont basés sur un protocole de cryptage à source ouverte et ne sont donc pas contrôlés de manière centralisée.

Un réseau peer-to-peer similaire à celui de Bitcoin gère toutes les transactions, soldes et dépenses. Les litecoins sont créées en générant des blocs basés sur une fonction de hachage cryptologique. Ce processus de "découverte" d'un haschisch s'appelle l'*exploitation minière.* Le rythme auquel les Litecoins sont générées forme une série géométrique et se divise par deux tous les quatre ans jusqu'à ce qu'un montant total prédéfini de Litecoins soit atteint (protection contre l'inflation). Les Litecoins, comme les Bitcoins, peuvent être générés individuellement sur un seul ordinateur, pour une personne, ou distribués sur plusieurs systèmes appartenant à plusieurs personnes, dans ce qu'on appelle des *pools.*

Comme un Bitcoin, chaque Litecoin peut être divisé en 100.000.000 unités plus petites.

Les litecoins peuvent être échangées à la fois contre de la monnaie fiduciaire et des bitcoins, ce qui se fait généralement par des échanges en ligne (changeurs de monnaie numérique).

Les transactions *facturables* (comme les transactions par carte de crédit) sont rarement utilisées pour acheter des Litecoins car les transactions avec des Litecoins sont irréversibles et il existe donc un risque de *rétrofacturation* non souhaitée.

Différences par rapport à Bitcoin

Le Litecoin a été développé comme une monnaie de cryptographie alternative au Bitcoin et en diffère d'au moins trois façons :

- Les blocs sont générés sur le réseau Litecoin toutes les 2,5 minutes au lieu de toutes les 10 minutes, ce qui permet aux clients de confirmer plus rapidement leurs transactions.

- Le réseau Litecoin produit donc également quatre fois plus d'unités que le réseau Bitcoin sur l'ensemble de son parcours, ce qui fait converger le nombre de Litecoins vers 84 millions.

- Contrairement à Bitcoin, qui utilise SHA256, Litecoin utilise le scrypt dans son algorithme de preuve du travail : une fonction séquentielle spéciale conçue et décrite par Colin Percival. Dans le but de répartir équitablement l'*exploitation minière* entre de nombreuses personnes et d'éviter la centralisation comme dans le cas de la monnaie Bitcoin, un algorithme adapté aux PC (CPU et GPU optimisés) a été choisi. D'autre part, une mise en œuvre (beaucoup plus rapide) dans les ASIC, qui sont spécialement produits pour cette application, devrait être empêchée afin de rendre l'exploitation minière moins dépendante de la puissance financière. Scrypt est spécialement conçu pour rendre les attaques par force brute plus difficiles avec du matériel spécialisé comme les FPGA et les ASIC. Elle le fait en exploitant le fait que la mémoire est relativement coûteuse. Pour cette raison, le scrypt a été intentionnellement conçu pour être très gourmand en mémoire. Par conséquent, les unités de traitement graphique (GPU), qui sont conçues pour traiter des textures et d'autres grands ensembles de données ou qui ont accès à la mémoire du CPU, sont bien adaptées à l'exploitation des Litecoins, et il est comparativement coûteux de mettre en œuvre avec succès des dispositifs dotés de FPGA ou d'ASIC. Cependant, les mineurs utilisant des ASIC qui atteignent des taux de hachage comparables à ceux des GPU - mais à une fraction de la consommation électrique des cartes graphiques - existent depuis un certain temps.

Évolution du cours des actions

Le 3 février 2014, 1 LTC équivalait à environ 21,50 USD ou 0,028 BTC.

Le 20 août 2014 (environ six mois plus tard), 1 LTC était tombé à environ 4,77 $ (soit une perte de valeur de 78 %). Le Litecoin était toujours la cinquième devise cryptographique, mais la valeur de sa capitalisation boursière a chuté d'environ 73 %, à 150 000 000 $. Ainsi, comme le Bitcoin, le Litecoin a subi une importante perte de valeur.

Depuis le début de 2017, le prix a connu une forte hausse pour atteindre environ 50 dollars en juin 2017 et plus de 300 dollars en décembre 2017, mais il a ensuite fortement baissé pour atteindre environ 43 dollars en novembre 2018.

En termes de capitalisation boursière, le Litecoin est la huitième plus grande monnaie cryptographique avec environ 13 milliards de dollars (au 13 février 2021).

Cardano

Cardano est un projet basé sur la chaîne de blocs dans le domaine des cryptocurrences, qui a été lancé dans le but de rechercher scientifiquement et de résoudre toutes les difficultés actuelles connues des chaînes de blocs de devises à ce jour. Le projet, qui a débuté en 2015, vise à revoir complètement la façon dont les cryptocurrences ont été construites et développées jusqu'à présent à différents niveaux et à créer, à terme, une plateforme décentralisée pour des transferts de valeur complexes et programmables sous les aspects de l'évolutivité et de la sécurité.

Dès le début, les membres de l'équipe se sont mis d'accord sur certains principes de base qui devraient servir de fil conducteur lors de la mise en œuvre - entre autres, une approche scientifique, une transparence totale, une mise en œuvre avec un langage modulaire et fonctionnel, une ouverture envers les institutions et les régulateurs officiels et une ouverture des sources.

Si le projet est couronné de succès, ce qui est encore en cours de développement, Cardano se considère comme la cryptocouronne la plus complète jamais créée.

Cardano utilise l'*ADA, une* monnaie cryptographique interne, comme moyen de paiement pour ses transactions.

Description

Du point de vue des fondateurs du projet, toutes les cryptocurrences basées sur des chaînes de blocs à ce jour rencontrent inévitablement un certain nombre de problèmes sérieux concernant la facilité d'utilisation pratique, la sécurité, l'extensibilité et l'intégration sociale et économique des cryptocurrences. Ces problèmes découlent des faiblesses inhérentes aux structures techniques des cryptocurrences établies :

Ainsi, le monde des cryptocurrences a évolué d'une 1ère génération où les paiements statiques étaient effectués sans contrat, à une 2ème génération où les contrats dynamiques étaient possibles (contrats intelligents programmables), à une 3ème génération qui ne fait qu'émerger (mise à l'échelle mondiale et légitimation de la réglementation).

La troisième génération de cryptocurrences introduirait une extensibilité arbitraire pour une utilisation de masse, l'interopérabilité et la durabilité en tirant les leçons des erreurs des générations précédentes et en mettant en œuvre de nouvelles technologies.

D'un point de vue technique, Cardano est basé sur plusieurs couches, chacune d'entre elles étant destinée à offrir des services et des fonctions pertinents.

Évolutivité

Pour toute extensibilité à une utilisation de masse, Cardano veut résoudre les trois problèmes les plus importants dans ce domaine. Pour résoudre ces problèmes, M. Cardano travaille sur un nouveau protocole sécurisé de preuve d'enjeu appelé *Ouroboros, qui* devrait notamment permettre à l'avenir de mettre en place des chaînes de blocs parallèles et cloisonnées et de mettre en œuvre un cryptage à sécurité quantique. La création d'un bloc dans la chaîne de blocage est censée entraîner une fraction des coûts qui découlent des mises en œuvre actuelles de la chaîne de blocage.

Interopérabilité

L'équipe Cardano considère le manque d'interaction entre les différentes cryptocurrences elles-mêmes, ainsi que le manque d'interaction entre le monde financier externe et les cryptocurrences, comme un problème majeur. Jusqu'à présent, l'interface entre le monde financier et le monde des cryptocurrences n'était généralement qu'une série de plates-formes d'échange permettant d'échanger des cryptocurrences contre de la monnaie fiduciaire et vice versa. À cet égard, il a été très problématique de passer directement du monde des cryptocurrences au monde financier ordinaire dans le cadre des transactions commerciales courantes et de prouver la légitimité des transactions effectuées dans le monde des cryptocurrences aux institutions financières et au secteur public.

Cardano travaille donc sur une plateforme qui permettra l'interaction entre les différents types de protocoles du monde des cryptocurrences et avec les protocoles du monde financier externe. À cette fin, il est envisagé de stocker à l'avenir des métadonnées cryptées pour chaque transaction, qui permettront de conserver la source et d'autres données de base d'un flux monétaire et pourront être divulguées à des organismes confidentiels pour preuve. Ce faisant, M. Cardano veut trouver un équilibre entre l'ouverture au secteur public et la protection de la vie privée des participants au réseau et la décentralisation.

En outre, les jetons d'autres cryptocurrences devraient pouvoir être utilisés dans les chaînes latérales (sidechains) de Cardano.

Durabilité

Cardano veut utiliser un processus de décision démocratique de tous les détenteurs de jetons pour contrôler l'orientation du développement du projet à l'avenir et le financer via une *trésorerie, à l'instar du* modèle du projet Dash.

Projet

Trois entités sont impliquées dans le développement du projet :

- La *Fondation Cardano* (fondation à but non lucratif enregistrée en 2016 à Zug, en Suisse), dont les tâches consistent à créer et à rechercher des normes et des réglementations pour les cryptocurrences, à assurer une représentation officielle à l'extérieur, et à construire et maintenir la communauté
- *Emurgo* (une société japonaise), qui gère la partie commerciale et la partie relative aux investisseurs du projet
- *IOHK* - une entreprise de technologie couvrant la mise en œuvre technique du projet

Polkadot

Polkadot est le concept d'une architecture hétérogène à chaînes multiples et à traduction qui permet de connecter des chaînes latérales personnalisées à des chaînes de blocs publiques. Grâce à Polkadot, différentes chaînes de blocage peuvent échanger des messages entre elles de manière sûre et fiable. Le protocole a été conçu par le fondateur d'Ethereum, Gavin Wood, et a permis de récolter 144,3 millions de dollars lors de son offre initiale de pièces en octobre 2017.

Le projet Polkadot est piloté par la Fondation Web3. La Fondation Web3 est une fondation suisse dont le but est de produire et de promouvoir des technologies et des applications dans le domaine des protocoles logiciels web décentralisés - en particulier en relation avec les méthodes cryptographiques modernes. L'objectif de la Fondation Web3 en relation avec Polkadot est la promotion et la stabilisation de l'écosystème Web3.

Protocole

Généralités

Le protocole Polkadot se veut une multichaîne hétérogène et évolutive. Contrairement aux autres chaînes de blocs traditionnelles qui se spécialisent dans la fourniture d'une seule chaîne de blocs avec un certain degré de généralisation pour des applications potentielles, Polkadot fournit une chaîne de relais de base qui peut héberger une grande variété de structures de données validables et globalement cohérentes.

Polkadot peut être considéré comme équivalent à un groupe de chaînes de blocs traditionnelles, comme le groupe constitué par Ethereum, Ethereum Classic et

Bitcoin, avec deux différences essentielles : la sécurité agrégée et la transférabilité interchaînes de confiance.

La conception de Polkadot est supposée être "évolutive". En général, un problème à déployer sur Polkadot peut être largement parallélisé et mis à l'échelle en le répartissant entre un grand nombre de Parachains. Comme tous les aspects de chaque parachute peuvent être traités en parallèle dans différentes parties du réseau, celui-ci a essentiellement la capacité de s'étendre.

L'objectif de Polkadot est de fournir une composante fondamentale de l'infrastructure, en laissant une grande partie de la complexité au niveau des intergiciels.

Polkadot est développé pour connecter les *chaînes privées/consortiums*, les réseaux *publics/de confiance, les* oracles et les futures technologies qui doivent encore être créées dans l'écosystème du Web 3. Polkadot ouvre la voie à un réseau où des *chaînes indépendantes* peuvent partager des *informations et des transactions de confiance* via la chaîne de relais Polkadot, en mettant l'accent sur l'évolutivité, la gouvernance et l'interopérabilité.

D'un point de vue général, Polkadot tente de résoudre les trois problèmes fondamentaux suivants :

- Interopérabilité : Polkadot est conçu pour permettre aux applications ou aux contrats intelligents d'une chaîne de blocs d'échanger de façon transparente des données et des biens avec d'autres chaînes.
- Évolutivité : Polkadot permet de maintenir plusieurs chaînes secondaires, chaque chaîne secondaire pouvant traiter plusieurs transactions simultanément. Cela garantit une évolutivité sans fin.
- Sécurité agrégée : Polkadot agrège la sécurité dans le réseau. Cela signifie que les chaînes individuelles

peuvent utiliser la sécurité collective de toutes les chaînes sans avoir à construire leur propre réseau et à gagner la confiance.

Histoire

Gavin James Wood

Gavin Wood est l'un des fondateurs et l'actuel directeur de Parity Technologies. Auparavant, il a été le directeur technique et cofondateur du projet Ethereum, co-concepteur du protocole Ethereum et auteur de sa spécification formelle. Gavin Wood a également créé et programmé la première implémentation fonctionnelle d'Ethereum. Il maintient le langage de programmation Solidity, a été chef de projet de son IDE et a développé le protocole Whisper. Il est titulaire d'un doctorat en informatique de l'université de York.

Gavin Wood a publié le livre blanc de Polkadot le 14 novembre 2016, et il a été décidé par la suite que le protocole serait maintenu par la Fondation Web3, qui a été créée en juin 2017.

Offre initiale de pièces de monnaie (OIC)

Polkadot a lancé son offre initiale de pièces le 15 octobre 2017, la vente de jetons se déroulant sous la forme d'une vente aux enchères aux Pays-Bas. L'OIC a pris fin le 27 octobre 2017 et a permis de lever un total de 485 331 ETH (Ether, la monnaie du bloc Ethereum). Peu de temps après, le 6 novembre 2017, on a appris qu'un bon deux tiers de l'Ether collecté avait été détruit en exploitant une erreur de code dans un contrat intelligent (hack de parité).

Token (DOT)

Fonctions

Le jeton DOT sert trois objectifs : la gouvernance, le fonctionnement et la connectivité du réseau.

Grâce à la théorie des jeux, les détenteurs de jetons sont motivés pour agir honnêtement. Les "bons" acteurs sont récompensés par ces mécanismes, les "mauvais" acteurs sont punis en perdant leur investissement dans le réseau. Cela garantit la sécurité du système.

Les nouveaux parachutistes sont créés sur le réseau en leur liant des jetons. Les parachains obsolètes ou inutiles sont retirés en retirant les jetons qui y sont liés. Cela correspond à une sorte de preuve d'enjeu.

Le jeton DOT est un jeton natif et est attribué dans le bloc Genesis du réseau Polkadot.

Développement

La Fondation Web3 a fait appel à Parity Technologies pour développer le protocole Polkadot. Le développement est en cours.

La sortie du bloc Genesis de Polkadot a eu lieu en mai 2020. Certains protocoles de chaînes de blocs bien connus, dont Melonport, ont déjà exprimé leur intérêt pour le développement d'une chaîne de parachutes Polkadot.

Bitcoin Cash

Bitcoin Cash (abréviation *BCH*) est une cryptocarte qui a été créée par un *hard fork* du réseau Bitcoin le 1er août 2017. En termes de capitalisation boursière, le Bitcoin Cash est la onzième plus grande cryptoconnaissance.

Spin-off de Bitcoin

L'objectif du fork Bitcoin était d'augmenter la taille limite du bloc de 1 Mo à 8 Mo sans adopter l'extension du protocole SegWit. Cela permet d'effectuer plus de transactions à la fois sur Bitcoin Cash que sur le réseau Bitcoin. Jusqu'à la fourchette (jusqu'au bloc 478558), les deux chaînes de blocs étaient identiques. Chaque propriétaire de Bitcoin a eu accès à la même quantité de Bitcoin Cash au moment de la bifurcation, tant qu'il avait accès à sa clé privée.

Satoshi Nakamoto, l'inventeur de Bitcoin et le principal développeur, a fixé une limite de taille de bloc de 1 Mo pour la mise en œuvre de référence en 2010. Cela permettait d'effectuer environ sept transactions par seconde pour éviter les attaques sur le réseau avec des blocs trop importants. Il a écrit que la limite pourrait être augmentée plus tard avec une modification mineure du code.

Avec la croissance rapide de l'adoption des bitcoins, cette frontière artificielle est devenue perturbatrice. L'espace dans les blocs de transaction est devenu une ressource précieuse. Cela a entraîné une hausse des frais de transaction, un allongement des délais d'attente pour les paiements et a donc gêné certains utilisateurs. L'encombrement des transactions non authentifiées est visible à la taille du mempool : seuls ceux qui ont payé des frais élevés pour l'authentificateur ont pu faire authentifier leur transaction rapidement. Les petits soldes sont devenus sans valeur parce que les frais d'une transaction dépassaient le solde.

L'extensibilité de Bitcoin et l'augmentation de la taille limite des blocs ont été discutées pendant plus de quatre ans : Bitcoin XT est apparu en août 2015, Bitcoin Unlimited en janvier 2016 et Bitcoin Classic en février 2016. Aucun de ces clients alternatifs n'a reçu la majorité des pouvoirs de hachage minier nécessaires pour activer les nouvelles règles. Par conséquent, à partir du début de 2017, il a été considéré d'exécuter une activation des nouvelles règles également en tant que minorité, en tant que *fourchette dure activée par l'utilisateur (UAHF pour* abréger).

En mai 2017, *BIP 91* a été recommandé à Bitcoin pour confirmer les futures transactions en utilisant *Segregated Witness* (*SegWit en* abrégé) à partir du 1er août 2017. Le BIP *91* a reçu une très large approbation (97% en juillet 2017). Une partie de la communauté a considéré que le *BIP 91* reportait le problème sans une taille de bloc plus importante et favorisait Bitcoin comme un investissement plutôt que comme une monnaie. D'autres ont rejeté l'idée de la *ségrégation des témoins* comme étant trop complexe. Ils ont mis en garde contre le fait de rendre Bitcoin dépendant de la société Blockstream.

En juin 2017, certaines parties de la communauté ont convenu de réaliser un *fork de* Bitcoin *activé par l'utilisateur* - vers la monnaie "Bitcoin Cash". En juillet 2017, Bitcoin ABC a été créé en tant que bifurcation du client Bitcoin et en tant qu'implémentation de référence de Bitcoin Cash. La limite de la taille des blocs a été portée de 1 à 8 Mo. Pour la première fois dans le développement de Bitcoin, cela a donné lieu à une bifurcation controversée ("contentieuse"). Pour forcer la bifurcation, une règle a été établie selon laquelle un bloc de plus de 1 Mo doit être trouvé le 1er août 2017. Il est devenu le bloc 478559 de 1,9 Mo, et il est rejeté par tous les clients Bitcoin, à l'exception de Bitcoin ABC. Elle a également empêché que les transactions qu'un détenteur de Bitcoin a commandées sur l'une des deux chaînes de blocs résultantes ne soient déclenchées de manière analogue sur la seconde chaîne de blocs par des attaquants contre la volonté du détenteur ("protection contre les rediffusions").

Grâce à une puissance de calcul importante, il a été possible de perpétuer la nouvelle variante de la chaîne de blocs - sous le nom de "Bitcoin Cash" (BCH), tandis que la chaîne de blocs "Bitcoin" établie a ensuite augmenté la taille des blocs avec le "Lightning Network" (par le biais de la fourchette souple "Segregated Witness"). Les deux chaînes de blocs partagent le même historique de transactions jusqu'au 1er août 2017, date à laquelle toute personne ayant déjà possédé des Bitcoin a possédé les deux devises. La condition préalable pour accéder aux actifs du BCH est d'utiliser un portefeuille électronique qui supporte la chaîne de blocage du BCH et d'y importer ses références d'actifs pré-divisés.

Bitcoin (BTC) et Bitcoin Cash (BCH) utilisent un format d'adresse similaire. Alors que les anciennes adresses commençaient par "1" ou "3", Bitcoin Cash a introduit le format "cashaddr". Ici, les adresses commencent par "q" ou "p" et le préfixe "bitcoincash :". Comme les deux formats sont toujours valables, les portefeuilles acceptent également l'ancien format.

Formats d'adresse

Si vous envoyez accidentellement le BCH à une adresse de la CTB, ce n'est pas grave. Une clé pour une ancienne adresse est également valable sur l'autre chaîne. Vous devez l'exporter et l'importer ailleurs. Toutefois, si l'adresse de destination est une adresse Bitcoin commençant par "3" ou "p" au format SegWit, l'argent peut être gelé - jusqu'à ce que les portefeuilles soient réparés dans le courant de l'année 2019. De plus en plus de portefeuilles et de bourses de la CTB forment de telles adresses SegWit.

Spin-off Bitcoin SV

Pour la mise en œuvre de Bitcoin Cash le 15 novembre 2018, deux changements de protocole concurrents aux implémentations de Bitcoin ABC et Bitcoin SV ont été opposés : Bitcoin ABC devait introduire le controversé Canonical Transaction Ordering (CTOR) ; Bitcoin SV, en tant que contre-proposition, ne devait pas activer le CTOR mais plutôt augmenter la taille limite du bloc. Grâce à ce que l'on appelle le hashwar, il fallait déterminer le changement de protocole le plus soutenu par les mineurs. Au départ, Bitcoin SV avait le dessus avec 72 à 75 % du hashrate, mais plus tard, Bitcoin ABC a reçu plus de hashrate, que le mineur Roger Ver a formé à partir des hashrates de ses clients. Le 23 novembre 2018, CoinGeek, le plus grand mineur de Bitcoin Cash et partisan de Bitcoin SV, a annoncé qu'il se retirerait de Hashwar et continuerait à utiliser Bitcoin SV comme monnaie cryptographique autonome.

Exploitation minière

Bitcoin Cash a d'abord trouvé peu de soutien auprès des mineurs. Normalement, la difficulté à trouver de nouveaux blocs ne s'ajuste que tous les 2016 blocs, ce qui équivaut à deux semaines avec un temps de bloc normal de dix minutes. Pour éviter de ne pas trouver un bloc de Bitcoin Cash pendant une longue période en raison d'une puissance de hachage trop faible, Bitcoin Cash a introduit de nouvelles règles pour ajuster la difficulté plus rapidement ("Emergency Difficulty Adjustment", EDA). S'il y avait parfois de nombreuses heures entre les premiers blocs, après quelques jours, le système s'est stabilisé à l'intervalle régulier de dix minutes. La difficulté de Bitcoin Cash est actuellement d'environ 3 % de la difficulté de Bitcoin (en juillet 2019).

Cependant, le DFA n'a pas réussi à stabiliser les intervalles de bloc aux 10 minutes qui étaient auparavant la norme pour Bitcoin. Au lieu de cela, le DFA conduit à des périodes où aucun bloc n'est trouvé pendant des heures alternant avec des périodes où l'on trouve jusqu'à 90 blocs par heure. En plus de l'instabilité des intervalles de bloc, cela a pour effet de faire croître la chaîne de blocs Bitcoin Cash beaucoup plus rapidement que la chaîne de blocs Bitcoin, ce qui entraîne une augmentation du taux d'inflation. Le 13 novembre 2017, Bitcoin Cash a effectué un nouveau travail dur pour remplacer l'algorithme DFA.

Nom

Le nom de *Bitcoin Cash a* été controversé dans les premiers temps. En attendant, le nom de Bitcoin Cash est couramment utilisé (comme pour les échanges cryptographiques, par exemple le GDAX et d'autres services). Cependant, certains partisans de Bitcoin rejettent encore ce nom et appellent la monnaie "Bcash". Ils le justifient par la nécessité de le distinguer de Bitcoin en raison du risque de confusion. En revanche, les partisans du Bitcoin Cash comme Gavin Andresen considèrent que la monnaie est le "vrai Bitcoin". En attendant, il existe plusieurs spin-offs portant le nom de Bitcoin (comme Bitcoin Gold).

Clients

La première implémentation publiée de Bitcoin Cash est Bitcoin ABC, qui a été bifurqué de Bitcoin Core. Parmi les autres mises en œuvre, citons Bitcoin XT, Bitcoin Unlimited, Bitcoin Classic et bcash.

En tant que client léger (sans chaîne complète), il y a Electron Cash, qui a été séparé d'Electrum.

Une liste complète des clients se trouve sur le site officiel de Bitcoin Cash.

Nœuds

Le réseau Bitcoin Cash est composé d'environ 1440 nœuds (dont environ 780 sont des nœuds Bitcoin ABC). En comparaison, le *réseau Bitcoin* compte environ 9440 nœuds (dont environ 9130 sont des nœuds Bitcoin Core) en juillet 2019.

Lettres de change

Kraken, Bitfinex, Bitcoin.de, Poloniex, Bitstamp and Coinbase et de nombreuses autres bourses permettent de négocier des Bitcoin Cash.

Acceptation du concessionnaire

L'acceptation de Bitcoin Cash par les commerçants est en constante augmentation et en particulier après que le fournisseur de services de paiement *BitPay ait* accepté BCH. Il y a maintenant 900 sites web qui acceptent le Bitcoin Cash (au 23 décembre 2018).

Stellar (système de paiement)

Stellar est un protocole d'échange de valeurs open source fondé début 2014 par Jed McCaleb - le créateur de eDonkey - et Joyce Kim. Parmi les membres de son conseil d'administration et de son conseil consultatif figurent Keith Rabois, Patrick Collison, Matt Mullenweg, Greg Stein, Joi Ito, Sam Altman, Naval Ravikant, et d'autres. Le protocole stellaire est soutenu par une organisation à but non lucratif, la Fondation pour le développement stellaire. En octobre 2017, Stellar et IBM ont formé un partenariat. IBM utilise le réseau Stellar pour faciliter les paiements internationaux. De même, IBM soutient la pièce de monnaie stable "Stronghold USD", qui est presque à 1:1 par rapport au dollar américain, car un dollar américain est réservé à chaque pièce pleine - comme dans le cas du "cryptocurrency Tether".

La devise de cryptologie Stellar Lumens (XLM) a atteint une capitalisation boursière d'environ 11 milliards de dollars en février 2021 et figure actuellement parmi les dix devises de cryptologie les plus précieuses.

Histoire

Au moment du lancement, Stellar était basé sur le protocole Ripple, qui a cependant été surchargé après que quelques ajustements aient été apportés au code de consensus critique du réseau Stellar. Par la suite, la co-fondatrice de Stellar, Joyce Kim, a affirmé qu'il s'agissait d'un bug dans le protocole Ripple, alors que cette déclaration a cependant été remise en question dans un billet de blog par Stefan Thomas - le directeur technique de Ripple. La Fondation pour le développement stellaire a ensuite créé une version actualisée du protocole avec un nouvel algorithme de consensus basé sur un code entièrement nouveau. Le code et le livre blanc de ce nouvel algorithme ont été publiés en avril 2015 et le réseau mis à niveau a été mis en service en novembre 2015.

Comment cela fonctionne-t-il ?

Stellar est un protocole open source pour l'échange d'argent. Divers serveurs exécutent une implémentation logicielle du protocole et utilisent Internet pour se connecter et communiquer avec d'autres serveurs Stellar, créant ainsi un réseau mondial d'échange de valeurs. Chaque serveur stocke un enregistrement de tous les comptes sur le réseau. Ces enregistrements sont stockés dans une base de données appelée "ledger". Les serveurs suggèrent des modifications au grand livre en proposant des transactions, en déplaçant les comptes d'un état à l'autre en équilibrant le solde du compte ou en changeant une propriété du compte. Si tous les serveurs sont d'accord avec l'ensemble des transactions pour le grand livre actuel, un processus appelé consensus est effectué. Le processus de consensus se déroule à intervalles réguliers, généralement toutes les deux à quatre secondes. Cela permet de garder la copie du grand livre de chaque serveur synchronisée et identique.

Attache

Le **Tether** est une monnaie cryptographique non réglementée avec des jetons émis par la société Tether Limited. Le filin se négocie sous forme de pièce de monnaie stable à raison de 1 pour 1 par rapport au dollar américain.

Histoire

Le filin, appelé à l'origine Realcoin, a été introduit le 9 juillet 2014 par Brock Pierce, Reeve Collins et Craig Sellars. Avec l'aide du protocole Mastercoin, chaque Realcoin doit être tenu en réserve par un dollar américain.

En novembre 2014, au début de la bêta privée, le Realcoin a été rebaptisé Tether, car ils voulaient éviter que la cryptoconnaie ne soit considérée comme une monnaie alternative au Bitcoin. Alors qu'il était encore en phase bêta, Tether s'est associé à la plate-forme de négociation Bitfinex et aux start-ups Expresscoin, GoCoin et ZenBox soutenues par Brock Pierce.

Attaque sur le câble

En novembre 2017, on a appris que des inconnus avaient réussi à transférer 31 millions de dollars du portefeuille principal de Tether Limited vers un portefeuille Bitcoin non autorisé portant l'adresse *16tg2RJuEPtZooy18Wxn2me2RhUdC94N7r*. Pour des raisons de sécurité, les échanges avec le portefeuille concerné ont été brièvement interrompus et le logiciel Omni Core a été révisé. Cependant, comme ce changement n'est pas conforme au modèle de consensus précédent, le changement de logiciel est un "hard fork".

Technologie

Le lien est émis sur la chaîne de blocs Bitcoin (avant le passage à la chaîne de blocs Litecoin) via les protocoles Omni-Layer, Ethereum, Tron ou Simple Ledger.

Critique

Les détracteurs du modèle Tether critiquent, entre autres, le fait qu'il n'est émis que par une seule société, Tether Limited, et que le contexte ne serait pas assez transparent. Ainsi, les directeurs de Tether Limited sont également ceux de iFinex Inc, la société à l'origine de Bitfinex.

À maintes reprises, on a soupçonné que les pièces d'écurie n'étaient pas adossées à des dollars américains dans une proportion de 1 pour 1. En mars 2019, Tether Limited a finalement annoncé que la couverture de Tether n'est pas seulement en dollars américains. D'autres actifs (par exemple, d'autres cryptocurrences) et les soldes des prêts accordés à des tiers sont également pris en compte dans la couverture du jeton.

En avril 2019, il a été révélé que le bureau du procureur général de New York avait ouvert une enquête après que les entreprises aient été accusées de dissimuler la perte de 850 millions de dollars de fonds.

Depuis juillet 2020, Tether fait également partie de la chaîne de distribution de Bitcoin Cash.

Tether a émis 24 milliards de dollars en USDT à ce jour, dont près de 20 milliards pour la seule année 2020. Ce contexte a conduit à des appels de plus en plus nombreux et à la nécessité d'un audit indépendant, car on pense que Tether manipule les marchés. Il est prouvé que la CTB est aujourd'hui plus souvent échangée contre l'USDT que l'argent réel ne l'est contre la CTB.

Monero

Le **Monero** (XMR) est une cryptocarte de monnaie décentralisée, basée sur une chaîne de blocs, comparable à Bitcoin. Toutefois, contrairement à Bitcoin, Monero met davantage l'accent sur la vie privée ou l'anonymat de ses utilisateurs (Privacy Coin) et adopte une approche différente de l'évolutivité. Le mot "monero" est tiré de la langue espéranto et signifie "pièce".

Monero est basé sur le protocole CryptoNote, qui contraste avec de nombreuses autres cryptocurrences qui sont construites sur du code bifurqué de Bitcoin, comme Litecoin. En pratique, Monero se distingue de la plupart des autres cryptocurrences par son fort anonymat, son algorithme de preuve de travail appelé RandomX qui est optimisé pour les processeurs du commerce, l'ajustement continu des *difficultés d'extraction* et l'algorithme d'ajustement de la taille des blocs (scalabilité). Le code de Monero a été reconnu, entre autres, par Vladimir J. van der Laan, l'un des responsables actuels de Bitcoin Core.

En date du 13 février 2021, le Monero avait une capitalisation boursière d'environ 3,6 milliards de dollars (elle était inférieure à 3,8 millions de dollars le 3 décembre 2015) et plus de 16 millions de XMR (unités monétaires du Monero) ont été générés à ce jour.

Caractéristiques

Divisibilité des unités monétaires

Le monero (XMR) est divisible jusqu'à 12 décimales après le point décimal, c'est-à-dire que la plus petite unité monétaire est 0.000 000 001 XMR = 10-12 XMR.

Algorithme minier et décentralisation

L'algorithme de preuve de travail RandomX utilisé se caractérise par le fait que, contrairement à l'algorithme sha256 de Bitcoin ou à l'algorithme de cryptage de Litecoin, il est très gourmand en mémoire et donc particulièrement adapté à du *matériel généraliste* très répandu (CPU, GPU et RAM de PC du commerce), tandis que le développement et la production de matériel spécial (ASIC) ne sont guère rentables. En cas de changements technologiques à cet égard, il faut s'attendre à ce que l'algorithme d'extraction soit modifié en conséquence (via *hard fork*, voir ci-dessous) afin de rester fidèle à la philosophie de la liberté ASIC et de l'extraction décentralisée associée.

Intervalle de blocage et ajustement des difficultés

L'intervalle cible pour la génération de blocs est de deux minutes (après avoir été d'une minute jusqu'à la fin mars 2016, avec le double de la *récompense minière à ce jour*), par opposition aux 10 minutes de Bitcoin.

Les difficultés de Monero dans l'exploitation minière s'ajustent continuellement, et pas seulement à intervalles de deux semaines comme pour Bitcoin.

Plan d'émission et inflation

Le montant de l'argent numérique généré par bloc, la *récompense minière,* diminue continuellement de bloc en bloc et non pas progressivement comme pour Bitcoin avec sa réduction de moitié abrupte tous les quatre ans. La *récompense globale* nominale (en unités XMR) est calculée à partir du montant total d'argent *A* émis jusqu'à présent (en unités atomiques, c'est-à-dire ^{1012} fois le montant d'argent en XMR) en utilisant la formule

- Récompense nominale de bloc (en XMR) = arrondi vers le bas ((*M-A*) / ^{219}) / ^{1012}, où *M=264-1*.

Une fois que le montant d'argent émis à ce jour aura atteint 18,132 millions de XMR et que la *récompense globale* sera donc inférieure à 0,6 XMR selon la formule (prévue pour le milieu de l'année 2022), la *récompense globale* nominale sera gelée pour l'éternité à 0,6 XMR par bloc de 2 minutes (soit 157788 XMR/an), ce qu'on appelle l'*émission de queue*. Vers l'année 2040, le montant des Moneros dépassera celui des Bitcoins, dépassant les 21 millions et, par exemple, vers l'année 2130 (2300), le montant des fonds générés sera d'environ 35 (62) millions de XMR.

Restriction monétaire résultant du plan d'émission

Avec le début de l'*émission de* 157 788 XMR par an à partir de la mi-2022 environ et une masse monétaire de 18,132 millions de XMR, la croissance nominale de la masse monétaire est initialement de 0,87 % par an, mais elle diminuera ensuite de façon continue en raison de l'augmentation constante du montant total de la monnaie émise et convergera vers 0 % à long terme.

Étant donné que les Moneros seront toujours perdus en raison de facteurs liés à l'utilisateur (perte de clés privées, défauts du matériel, manque de sauvegardes), un équilibre approximatif entre le taux de pièces perdues et celui des pièces nouvellement générées pourrait être établi à long terme grâce au mécanisme d'*émission en queue.* Cela signifie que le monero pourrait être considéré comme une monnaie avec une masse monétaire stable à long terme, malgré la génération permanente de nouvelles unités monétaires.

Anonymat et protection des données

Le protocole CryptoNote utilise des *signatures en anneau* et des *adresses furtives*. Cela a un certain nombre de conséquences :

Les adresses furtives sont *cachées, car l'*argent entrant et sortant à une adresse connue n'est pas visible publiquement dans la chaîne de blocage. Cela n'est possible qu'au moyen de la clé privée, ou à l'aide d'une *viewkey,* que le propriétaire de la clé privée peut éventuellement publier ou transmettre à un tiers. D'où le terme "*éventuellement transparent*".

Les signatures en anneau dans Monero permettent de toujours (et pas seulement en option) de brouiller et de mélanger les transactions, de sorte qu'il est très difficile, voire pratiquement impossible, pour des tiers de suivre les flux d'argent à l'aide de l'analyse des chaînes de blocs. En conséquence, les unités monétaires Monero sont considérées comme véritablement *fongibles* et l'inscription sur *liste noire des* actifs par les mineurs peut être pratiquement exclue.

Monero s'appuie également sur des montants cryptés. Les montants ne sont plus transférés en clair dans les transactions, mais sont cryptés avec des *engagements* dits "*Pedersen*".

Taille et échelle des blocs

Il n'y a pas de limite supérieure générale à la taille du bloc. Toutefois, un nouveau bloc ne peut être que deux fois plus grand que la médiane des 100 blocs précédents. En outre, la *récompense globale* réelle versée est réduite par rapport à la *récompense globale nominale* décrite ci-dessus si un bloc est supérieur à cette médiane et en même temps supérieur à 60 kB (cette limite était encore de 20 kB jusqu'à la *fourchette dure* fin mars 2016). Le pourcentage de réduction de la *récompense en bloc* est le carré du pourcentage par lequel la taille du bloc dépasse ladite médiane. Par exemple, si la médiane est dépassée de [10 %, 20 %, 50 %, 80 %, 100 %], la *récompense* globale est réduite de [1 %, 4 %, 25 %, 64 %, 100 %]. Cette *pénalité* dite de récompense en bloc vise à garantir que la taille du bloc n'augmente pas inutilement et rapidement, mais qu'elle n'est augmentée par les mineurs économiquement rationnels que si la réduction de la *récompense en bloc* est compensée par des recettes supplémentaires provenant des taxes d'émission.

En raison des signatures en anneau, les transactions Monero ont un volume de données sensiblement plus important que les transactions Bitcoin, ce qui permet à la chaîne de blocs de croître sensiblement plus vite que Bitcoin pour un même volume de transactions. Toutefois, jusqu'à présent (au 5 septembre 2016), le volume de transactions est bien inférieur à celui de Bitcoin, ce qui n'est pas significatif pour le moment.

Changements de protocole incompatibles (fourches dures)

Des modifications ont déjà été apportées avec succès au protocole dans le passé, par exemple la modification susmentionnée de l'intervalle de bloc de une à deux minutes et l'ajustement de la *récompense en bloc qui l'*accompagne en mars 2016. À l'avenir, d'autres améliorations techniques sont prévues, qui ne pourront être mises en œuvre qu'avec des *fourches dures,* c'est-à-dire des modifications de protocole non rétrocompatibles (à partir du 5 septembre 2016).

Environ tous les six mois, une telle fourchette dure a lieu, au cours de laquelle les améliorations techniques des six derniers mois sont activées.

Développeur

L'équipe de base est composée de sept membres, dont cinq sont anonymes (à partir de septembre 2016). En outre, il existe de nombreux autres contributeurs individuels.

Dogecoin

Le **Dogecoin** est une cryptocarte monnaie de pair à pair dérivée du Litecoin, avec un nom et un design basés sur le phénomène internet *Doge.*

Histoire

Dogecoin est sorti le 8 décembre 2013. Bien que conçu à l'origine comme une parodie de Bitcoin et du nombre rapidement croissant de monnaies complémentaires, le taux de change de Dogecoin en dollars américains a rapidement augmenté au cours des deux premières semaines. Le 19 décembre 2013, 1 050 DOGE ont reçu un dollar américain, et selon la capitalisation boursière, Dogecoin était la neuvième plus grande monnaie cryptographique avec 8,79 millions de dollars. | Le logo de la pièce comporte un shiba, sur lequel est basé le "Doge". Le 10 janvier 2014, quatre semaines seulement après sa publication, 25 % de tous les Dogecoins avaient déjà été créés grâce à l'exploitation minière. Le 19 janvier 2014, la communauté des Dogecoins a collecté environ 30 000 dollars de Dogecoins pour une éventuelle candidature olympique de l'équipe de bobsleigh de la Jamaïque. En conséquence, le prix de la Dogecoin a augmenté de 50 % et a été la septième plus grande monnaie cryptographique avec un plafond de marché de 51,54 millions de dollars US. Au 31 janvier 2014, le Dogecoin était déjà la cinquième monnaie cryptographique la plus précieuse, avec une capitalisation boursière de plus de 61 millions de dollars. Actuellement, la communauté de Reddit Dogecoin collecte des Dogecoins pour une mission lunaire habitée. En juin 2015, la petite monnaie sœur du Dogecoin appelée : *Litedoge* (abréviation : *LDOGE*) est apparue. En décembre 2020 ainsi qu'en janvier 2021, le pionnier de l'internet et de la mobilité électrique (Tesla) et multimilliardaire Elon Musk a exprimé son enthousiasme pour la cryptocouronne sur plusieurs tweets, ce qui a provoqué diverses spéculations sur les forums internet à propos d'une hausse de la monnaie, qui ne coûte que quelques centimes, jusqu'à peut-être 10 centimes.

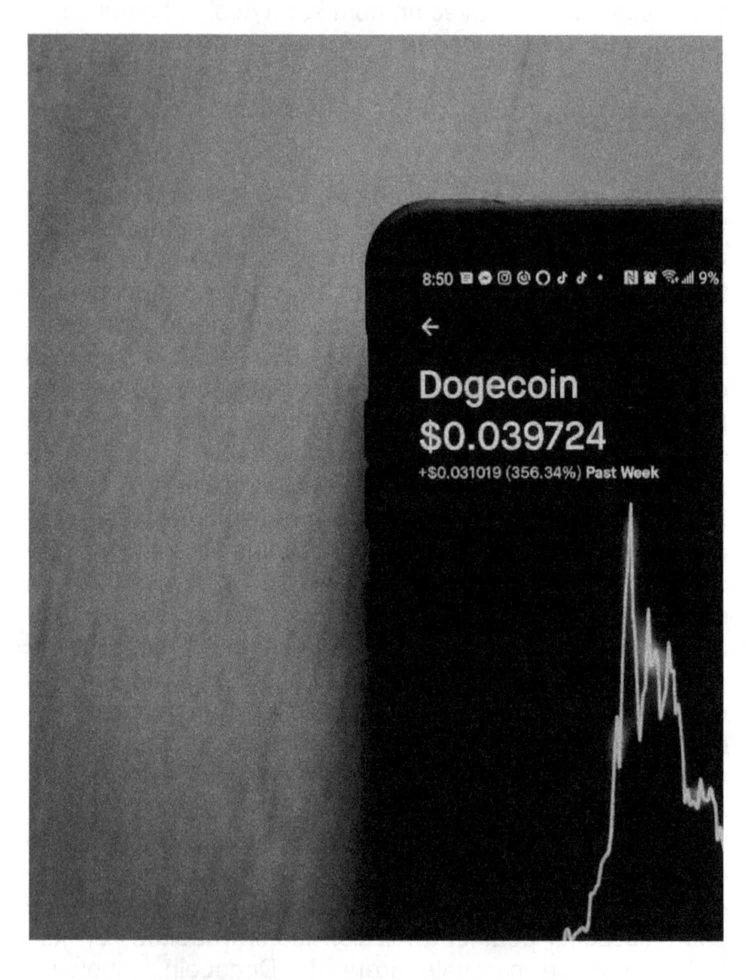

Différences par rapport à Bitcoin

Comme Litecoin, Dogecoin utilise le scrypt dans son algorithme de preuve du travail. Contrairement aux Litecoins, le temps nécessaire pour créer un nouveau bloc est de 1 minute (Litecoins : 2,5 minutes). Cependant, la plus grande différence par rapport aux autres cryptocurrences est le nombre immense de pièces qui peuvent être générées. Alors que Bitcoin et Litecoin sont limités à un total de 21 millions et 84 millions de pièces respectivement, Dogecoin a été conçu à l'origine pour avoir 100 milliards de pièces. Le 2 février 2014, le fondateur de Dogecoin, Jackson Palmer, a publié la décision de supprimer cette limite. Ainsi, Dogecoin a clairement une nature inflationniste, avec 5,256 milliards de nouvelles Dogecoins à frapper chaque année à partir de 2015, ce qui équivaut à un taux d'inflation de 5,3%. Cependant, comme le montant ajouté chaque année est constant, le taux d'inflation ne cessera de diminuer (en 2025, il sera de 3,4%, en 2035 de 2,5%, en 2050 de 1,9% seulement, etc.)

Echanges en ligne

La Dogecoin est désormais négociée sur de nombreuses bourses en ligne. Certaines bourses en ligne permettent d'échanger directement des Dogecoin avec les monnaies nationales sans détour par Bitcoin. Selon le site web coinmarketcap.com, il est possible de négocier avec des euros sur les bourses Kraken et Binance, et avec des dollars américains sur une dizaine de bourses (à partir de janvier 2021).

Ondulation (système monétaire)

Ripple est un protocole de réseau de paiement open-source basé sur une idée du développeur web Ryan Fugger, de l'homme d'affaires Chris Larsen et du programmeur Jed McCaleb. Il est actuellement développé par Ripple Labs. Dans sa phase finale de développement, Ripple est destiné à être une méthode de paiement peer-to-peer distribuée ainsi qu'un marché des devises. Le réseau Ripple supporte toutes les devises (dollar, euro, yen, bitcoin, etc.).

Structure

Le système Ripple est basé sur une base de données publique partagée. Il contient un registre des soldes de comptes. Tout le monde peut consulter le registre et voir les enregistrements de toutes les transactions sur le réseau Ripple. En plus des soldes de compte, le registre peut également contenir des informations sur les offres d'achat ou de vente de devises et de marchandises, ce qui en fait le premier lieu de négociation distribué. Les participants au réseau s'accordent sur les modifications à apporter au registre selon un processus de consensus. Ce consensus est trouvé environ toutes les 2 à 5 secondes par le réseau, ce qui permet d'échanger des biens sans passer par une chambre de compensation centrale.

En plus du réseau de paiement et de la plate-forme commerciale distribuée, Ripple contient également son propre *XRP* cryptocurrency interne, également appelé *Ripple, qui est* indispensable pour le réseau de paiement. Il peut être utilisé en option pour le stockage de valeurs ou comme support commercial, mais il est indispensable pour l'exécution des opérations de paiement afin de prévenir le spam sur le réseau. En outre, Ripple Labs se finance exclusivement grâce à l'augmentation de la valeur du XRP.

Comment cela fonctionne-t-il ?

La plupart des systèmes monétaires modernes sont basés sur la confiance, les espèces et les obligations d'État sont par exemple des obligations d'État. Cela est particulièrement vrai pour les comptes numériques en monnaie fiduciaire. Un solde de 100 euros sur un compte bancaire exige la certitude que la banque versera l'argent sur demande. Ripple est une tentative d'appliquer ce mécanisme à une monnaie en ligne en enregistrant les responsabilités entre les individus et les institutions dans un registre public mondial. Le registre est stocké sur le réseau mondial d'ordinateurs en peer-to-peer qui utilisent le logiciel du serveur Ripple. Les copies distribuées du registre sont maintenues cohérentes par Ripple grâce à un *algorithme de consensus.*

Le registre enregistre, par le biais des reconnaissances de dette, la quantité de monnaie qu'une personne doit à une autre et vice versa. Ainsi, une reconnaissance de dette déséquilibrée est toujours constituée de dettes privées entre particuliers. Les passerelles à ondulations sont un cas particulier important. Ceux-ci acceptent les moyens de paiement établis et émettent des reconnaissances de dette en échange, qu'ils remboursent si nécessaire. Le rôle d'une passerelle Ripple est donc similaire à celui d'une banque. Cependant, toutes les dettes de la passerelle sont stockées dans le registre distribué de Ripple au lieu d'être inscrites dans ses propres livres. Le remboursement des reconnaissances de dette de la passerelle signifie toujours qu'un paiement a lieu en dehors du réseau Ripple, par exemple en espèces ou par virement bancaire.

Bien que le terme "passerelle" ne soit généralement utilisé que pour les fournisseurs commerciaux qui émettent et remboursent des reconnaissances de dette, toute personne disposant d'un compte Ripple peut jouer le rôle de passerelle informelle.

Lorsque des paiements ont lieu dans le cadre du système Ripple, les responsabilités entre les personnes concernées sont ajustées en conséquence. Le système Ripple ne peut que stocker les responsabilités, mais pas les faire respecter. Il est donc nécessaire que les utilisateurs de Ripple précisent à quel autre utilisateur ils font confiance, dans quelle devise et jusqu'à quel montant, pour racheter à la demande les reconnaissances de dette stockées. S'il n'y a pas de relation de confiance directe entre l'expéditeur et le destinataire, le réseau tente d'identifier un cheminement des utilisateurs où chacun fait confiance au suivant en montant suffisant pour faire passer le paiement. De cette façon, les paiements s'écoulent ("ondulation") à travers le graphique social des relations de confiance. Le registre permet de compenser tous ces paiements entre eux, et les particuliers peuvent régler leurs dettes mutuelles en dehors du système Ripple de temps en temps.

En plus de ce mécanisme de paiement, le système Ripple fournit un échange de monnaie virtuelle distribué où les reconnaissances de dette peuvent être échangées contre des reconnaissances de dette d'une autre monnaie et/ou d'une autre passerelle d'émission. Cette fonctionnalité est automatiquement intégrée par le système Ripple dans la recherche d'un chemin de confiance lorsqu'aucune autre connexion ne peut être établie entre l'expéditeur et le destinataire d'un paiement.

Le concept de banque centrale est considéré par les initiateurs de Ripple comme un point unique de défaillance et un point unique à partir duquel toute la monnaie pourrait être contrôlée. Pour éviter les problèmes dans ce contexte, Ripple est conçu comme un système décentralisé.

Ripple Labs

Ripple Labs (à l'origine *Opencoin*) est la société qui développe le protocole Ripple. Il est soutenu par plusieurs investisseurs, dont Andreessen Horowitz, Google Ventures, IDG Technology Venture Investment Fund, Lightspeed Venture Partners, Camp One Ventures, Core Innovation Capital, Venture 51, Bitcoin Opportunity Fund, et par diverses personnes.

Contrairement à de nombreuses autres entreprises de l'industrie informatique, les revenus de Ripple Labs ne proviennent pas de redevances ou de publicité, mais uniquement de l'augmentation espérée de la valeur des 25 milliards de XRP conservés. L'objectif commercial principal est donc la diffusion et la maximisation des avantages des PXR pour les utilisateurs, de sorte que la demande de PXR et donc sa valeur augmentent en raison de l'offre limitée.

Produits de l'ondulation

Ripple Labs propose actuellement trois produits à ses clients : xCurrent, xRapid et xVia.

xCurrent est la solution logicielle d'entreprise de Ripple qui permet aux banques de traiter instantanément les paiements transfrontaliers avec un suivi de bout en bout. Avec xCurrent, les banques se communiquent en temps réel pour confirmer les détails du paiement avant le début de la transaction et pour confirmer la livraison une fois celle-ci terminée. Il comprend un règlement élaboré en collaboration avec le RippleNet Advisory Board pour assurer la cohérence opérationnelle et la clarté juridique de chaque transaction.

xRapid est conçu pour les fournisseurs de paiements et autres institutions financières qui souhaitent minimiser leurs coûts de liquidité tout en améliorant l'expérience de leurs clients. Comme les paiements vers les marchés émergents nécessitent souvent des comptes en monnaie locale préfinancés dans le monde entier, les coûts de liquidité sont élevés. xRapid réduit considérablement le capital requis pour les liquidités. xRapid exploite de manière unique un actif numérique, le XRP, pour offrir des liquidités à la demande qui réduisent considérablement les coûts et permettent d'effectuer des paiements en temps réel sur les marchés émergents. Le XRP est conçu pour les entreprises et offre aux banques et aux prestataires de services de paiement une option de liquidité très efficace, évolutive et fiable pour les paiements transfrontaliers.

xVia s'adresse aux entreprises, aux prestataires de services de paiement et aux banques qui souhaitent envoyer des paiements sur différents réseaux via une interface standard. L'API simple de xVia ne nécessite aucune installation de logiciel et permet aux utilisateurs d'envoyer des paiements de manière transparente dans le monde entier, avec une visibilité sur l'état des paiements et avec de riches informations telles que les factures jointes.

Le système d'ondulation

Actuellement, le système Ripple offre la possibilité d'effectuer jusqu'à 1 500 transactions par seconde. Ce nombre est extensible jusqu'à 50 000 transactions par seconde, ce qui correspond au même débit de Visa. L'évolutivité elle-même dépend de la quantité de serveurs disponibles et de leur puissance de traitement. La vitesse de transaction est actuellement d'environ 4 secondes.

La monnaie numérique *XRP*

La monnaie *XRP* remplit deux fonctions essentielles du réseau : Elle empêche le spam sur les réseaux et peut servir de monnaie d'échange avec d'autres devises. Pour prévenir le spam sur le réseau, une quantité minimale de XRP, actuellement d'au moins 0,00001 XRP, est consommée puis détruite pour chaque transaction. Le nombre de XRP disponibles diminue donc successivement. En outre, le XRP remplit la fonction de source de financement exclusive des Ripple Labs. Ripple souligne à plusieurs reprises que la monnaie locale XRP est un projet open-source indépendant qui continuerait à exister même si Ripple cessait d'exister à un moment donné. Pour que cela soit clair, la communauté XRP a développé son propre logo en juin 2018, qui a été choisi par le grand public parmi de nombreuses suggestions.

Le XRP est la seule devise du système Ripple qui n'implique pas de risque de contrepartie : Un compte XRP ne dépend pas de la couverture par une organisation. Toutefois, contrairement aux comptes de reconnaissance de dette, elle comporte un risque de change. Ce délai serait bien inférieur à celui d'un transfert SWIFT, car une transaction est réglée en 5 secondes, alors qu'un transfert SWIFT prend plusieurs jours.

Les créateurs de Ripple ont généré le réseau avec 100 milliards de XRP et ont transféré 80 milliards de XRP à la société à but lucratif Ripple Labs. Ripple Labs, à son tour, a l'intention de distribuer 55 milliards de XRP aux utilisateurs du réseau Ripple et de garder les 25 milliards restants. En 2013, Ripple a distribué 200 millions de Ripple aux participants du World Community Grid. Un total de 7,2 milliards de XRP a été distribué à divers projets à ce jour. Il n'est pas prévu de continuer à créer de l'argent par l'exploitation minière, comme c'est le cas pour de nombreuses autres cryptocurrences.

Le XRP a atteint un pic de prix de 2,85 dollars à la fin du mois de décembre 2017 et est devenu la cryptocarte avec la deuxième plus forte capitalisation boursière pour la première fois depuis mai 2017, avec une valeur d'environ 85 milliards de dollars derrière le Bitcoin.

Le XRP peut être géré principalement à l'aide du portefeuille en ligne de Ripple, mais il existe des clients non officiels, à code source ouvert, qui offrent également cette fonctionnalité sur votre propre ordinateur.

Selon les informations publiées par Ripple lui-même sous la rubrique "XRP Supply", au 3 décembre 2017, 38,74 milliards (38 739 142 881) de XRP étaient en libre circulation et négociables, 6,25 milliards (6 253 951 232) de XRP étaient détenus par les Ripple Labs eux-mêmes, et 55 milliards de XRP étaient déposés dans un portefeuille bloqué et verrouillés (via un accord de séquestre sur sa propre chaîne de blocage). Sur ces 55 milliards de XRP bloqués, Ripple peut vendre 1 milliard de XRP chaque mois, comme il en libère 1 milliard chaque mois. La partie de ce milliard de XRP non vendue ce mois-là est ensuite bloquée sur le compte pendant 55 mois. Selon ses propres données dans cet article du 7 décembre 2017, Ripple a vendu 300 millions de XRP par mois au cours des 18 derniers mois (5,4 milliards de XRP au total).

Profitez de tous nos livres gratuitement...

Des biographies intéressantes, des introductions engageantes, et plus encore.

Rejoignez le club exclusif des examinateurs de la Bibliothèque Unie !

Un nouveau livre vous sera livré dans votre boîte de réception tous les vendredis.

Rejoignez-nous dès aujourd'hui, rendez-vous sur : https://campsite.bio/unitedlibrary

LIVRES DE UNITED LIBRARY

Kamala Harris : La biographie

Barack Obama : La biographie

Joe Biden : La biographie

Adolf Hitler : La biographie

Albert Einstein : La biographie

Aristote : La biographie

Donald Trump : La biographie

Marcus Aurelius : La biographie

Napoléon Bonaparte : La biographie

Nikola Tesla : La biographie

Le pape Benoît : la biographie

Le pape François : La biographie

Et plus encore...

Voir tous nos livres publiés ici :
https://campsite.bio/unitedlibrary

À PROPOS DE UNITED LIBRARY

United Library est un petit groupe d'écrivains enthousiastes. Notre objectif est toujours de publier des livres qui font la différence, et nous nous préoccupons surtout de savoir si un livre sera toujours vivant à l'avenir. United Library est une société indépendante, fondée en 2010, qui publie actuellement jusqu'à 50 livres par an.

Joseph Bryan - FONDATEUR/EDITEUR GÉNÉRAL

Amy Patel - ARCHIVISTE ET ASSISTANTE DE PUBLICATION

Mary Kim - DIRECTEUR DES OPÉRATIONS

Mary Brown - Rédactrice et traductrice

Terry Owen - ÉDITEUR

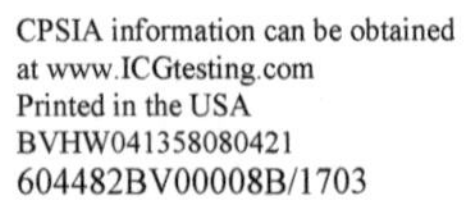
CPSIA information can be obtained
at www.ICGtesting.com
Printed in the USA
BVHW041358080421
604482BV00008B/1703